James Ogilvy
Anleitung zu einem Leben ohne Ziel

James Ogilvy

Anleitung
zu einem Leben ohne Ziel

Wege zur persönlichen Freiheit
und Kreativität

Aus dem Amerikanischen
von Anni Pott

Kabel

Die amerikanische Originalausgabe
erschien 1995 unter dem Titel
» Living without a goal «.
Finding the freedom to live a creative and innovative life
bei Currency Books/Doubleday, a Division of
Bantam Doubleday Dell Publishing Group, Inc., New York

ISBN 3-8225-0408-4
© 1995 by James Ogilvy
Copyright der deutschsprachigen Ausgabe:
© Kabel Verlag GmbH, Hamburg 1997
Gesetzt aus der Garamond
durch Gerber Satz, München
Druck und Bindung: Druckerei Pustet, Regensburg
Printed in Germany

Inhalt

Freiheit finden

Als unseres Lebens Mitte ich erklommen,
Befänd ich mich in einem dunklen Wald,
Da ich vom rechten Weg abgekommen.
Wie schwer ist's, zu beschreiben die Gestalt
Der dichten, wilden, dornigen Waldeshallen,
Die, denk ich dran, erneun der Furcht Gewalt!
Kaum bittrer ist es in des Todes Krallen;
Des Guten wegen, das es mir erwies,
Bericht ich, was im Wald sonst vorgefallen.

Dante Alighieri,
Die Göttliche Komödie, »Hölle«[1]

Kapitel 1

Ich brauchte nicht bis zur Midlife-crisis zu warten, um mich verraten und verloren zu fühlen. Mein erster Abschied von einem Ziel kam, als ich gerade sechzehn war – und viele weitere sollten noch folgen. Ich saß hinter dem Steuer eines Mercury Cabrio, Baujahr 1947, der Wind zersauste mir das Haar, und fuhr in die schwarze Nacht und eine noch dunklere Zukunft. Ich war gerade von der Internatsschule geflogen.

Und damit war ich plötzlich von meiner Zukunft befreit. Ich hatte versagt, die in mich gesetzten Erwartungen nicht erfüllt, war den Zielen nicht gerecht geworden, die man mir gesetzt hatte. Was nun? College? Würde ein gutes College mich überhaupt noch nehmen? Oder war ich für immer von der großen Lebensleiter gefallen? War ich nun auf Dauer als Mensch disqualifiziert? Ich hatte keine Ahnung. Ich hatte Angst. Ich hatte alles verpfuscht. Ich hatte meine Eltern enttäuscht. Und ich hätte mich entsetzlich fühlen müssen. Aber genau wie Dante das »Gute« hinter seiner Angst gefunden hatte, überkam mich statt dessen eine seltsame und unerwartet heftige Erregung, eine Heiterkeit: das Gefühl, das Leben in der wirklichen Zeit zu leben.

Statt über den Verlust und mein Scheitern zu trauern, empfand ich plötzlich ein Gefühl der Befreiung. Dieser erste berauschende Taumel der »Ziellosigkeit« war wie eine Entlastung von einer allzu klar umrissenen, abgesteckten Zukunft: Schule, College, Beruf. Ich fuhr Meile für Meile auf der Route 101 durch die Dunkelheit des südlichen New Hampshires, doch mein Fernlicht konnte den Kern des Mysteriums vor mir nicht durchdringen. Da ich nicht wußte, wo ich hinfuhr und was ich eigentlich vorhatte, ließ ich die Dinge auf mich zukommen, um jeweils spontan zu sehen, was ich daraus mache – und das fühlte sich mehr nach Leben an, als einem festen Kodex von Regeln zu folgen. Aber das kann ich im Grunde auch erst im nachhinein sagen. Damals war ich trotz allem zunächst einmal erschrocken und verwirrt angesichts des Konfliktes zwischen Angst und freudiger Erregung, der sich in meinem Innern abspielte. Was würde aus mir werden? Hatte ich das Leben zerstört, das scheinbar so klar und prächtig mit dem glänzenden Ziel des »Erfolges« vor mir gelegen hatte?

Ich brauchte einige Zeit, um mit dieser jugendlichen Verwirrung klarzukommen. Es gab einmal eine Zeit, in der ich hoffte, hinter dieses Rätsel zu kommen, das schlechterdings Leben genannt wird. Als ich schließlich aufs College kam, studierte ich im Hauptfach Philosophie und lehrte nach dem Abschluß dieses Fach dann auch ein Dutzend Jahre. Hinter den Zweck meines Lebens bin ich allerdings nie gekommen. Jener große Entwurf, den die Philosophie zu versprechen scheint, wurde mir nie offenbart. Vielleicht hält die Mathematik einige ewige Wahrheiten bereit. Aber wenn es um die menschliche Geschichte geht, lassen wir die Dinge auf uns zukommen und sehen jeweils, wie wir zurechtkommen; doch wir kommen nicht immer zurecht. Und wie können wir nun herausfinden, was wir von einem Tag auf den nächsten tun sollen?

Überall um mich herum sehe ich Menschen, die die unterschiedlichsten Ziele, hehre und großartige Ziele, verfolgen: »Reichtum«, »Liebe«, »Ruhm«, »religiöse Rettung«, »soziale Gerechtigkeit«, »Selbstverwirklichung«, »Weisheit« . . . Ich bin inzwischen zu der Überzeugung gelangt, daß ein Leben, das sklavisch ein einziges Ziel verfolgt, wie edel dieses auch sein mag, zu einem Geschäftsplan statt einer Biographie wird.

Diese großen Ziele, die uns versklaven, werde ich in der Folge in Anführungsstriche setzen, um den Anspruch zu ironisieren, der damit gemeinhin an das persönliche Schicksal geknüpft wird. Ohne ein »Ziel« leben heißt nicht, daß wir alle Ziele aufgeben müssen. Wenn Sie runter an die Ecke gehen, um eine Zeitung zu holen, haben Sie ein Ziel. Wenn Sie eine heilbare Form von Krebs haben, haben Sie ein Ziel: Gesundheit. Wissenschaftler wollen etwas entdecken. Die Armut zu überwinden, ist ein Ziel. Ärzte, Dichter und Genies folgen einem Ruf, der ihnen Ziele auferlegt. Aber viele von uns leiden weder unter Armut, noch wird uns die Verlockung eines Rufes zuteil. Uns wurde kein Ziel *gegeben*, aber irgendwie glauben wir, wir sollten eines *finden*.

Dante zufolge werden viele erstmals in der Lebensmitte mit der »Ziellosigkeit« konfrontiert. Die Jugend ist voller Ziele: Schule absolvieren, einen Partner bzw. eine Partnerin finden, einen anständigen Job und einen angenehmen Platz zum Leben finden, es zu etwas bringen. Aber nachdem man es zu etwas gebracht und einige Ziele erreicht hat, was dann? Die Lebensmitte konfrontiert viele von uns mit dem nagenden Gefühl, das eigentliche Leben verpaßt zu haben. Und so stürzen wir uns auf irgendein Ziel, das hehrer als alle ist, die wir bisher erreicht haben. Aber die Lebensmitte ist nicht der einzige Zeitpunkt, wie ich mit sechzehn feststellte, an dem man das Gefühl haben kann, verloren zu sein. Und ich vermute, es gibt viele, die in den Achtzigern voller Ehrgeiz eine Karriere begannen und heute, kurz vor der Lebensmitte, feststellen, daß die stete Fahrt nach oben, der Aufstieg, zur Gewohnheit werden kann. In diesem Buch geht es darum, mit dem maßlosen Ehrgeiz zu brechen – in jedem Alter.

Einem gewissen zielgerichteten Verhalten können wir nicht entkommen, und es ist nicht meine Absicht, die »Ziellosigkeit« als den *richtigen* Weg zu empfehlen. Aber für diejenigen von uns, die keinem erhabenen Ruf zu folgen haben, ist, ob es Ihnen gefällt oder nicht, die »Ziellosigkeit« der normale Zustand. Es geht dabei also nicht um etwas, was Sie lernen *müßten*. Ebensowenig um etwas, das zeigt, wie Sie *sein sollten*. Und erst recht können Sie

»Ziellosigkeit« nicht zu Ihrem »Ziel« machen. Was für ein Widerspruch wäre das! Was ich aber in Frage stellen möchte, ist jenes nagende Gefühl, daß Sie ein großes Ziel haben *sollten*, das den Zweck Ihres Lebens definiert. Dieses nagende Gefühl ist ein Relikt aus einer Zeit, in der die Spielregeln des Lebens durch religiöse oder politische Absolutheiten definiert wurden und eine klare Ziellinie – wie die zwölf Himmelstüren – den Erfolg definierte. Heute, da diese alten Absolutheiten ihre Glaubwürdigkeit verloren haben (siehe Kapitel 3), sind viele von uns damit konfrontiert, daß wir ein Spiel ohne Ziellinien spielen. Was ist Erfolg? In welche Richtung soll man laufen? Wo sind die Autoritäten, die es uns sagen könnten? Sie sind nicht zu finden. Und so suchen wir manchmal an seltsamen Orten nach einem Ersatz für diese »Ziele«, die uns verlorengegangen sind. In diesem Buch geht es nun darum, mit dem Verlust zu leben und uns sogar darüber zu freuen. Ein Leben mit einem einzigen großen Ziel nimmt Ihnen Ihre Freiheit, denn ein Leben, das auf ein einziges »Ziel« ausgerichtet ist, verlangt, daß jede Handlung diesem einzigen Ziel dient.

*

In diesem Buch geht es im Unterschied zu einer mechanistischen Technik um eine künstlerische Gestaltung des Lebens. Künstlerische Gestaltung verlangt Freiheit und Spontaneität, während Technik auf den Gesetzen mechanischer Notwendigkeiten beruht. Viele von uns nutzen die großen Ziele, um ihre Freiheit zu leugnen. Wir lassen zu, daß wir Sklaven unserer »Ziele« werden. Sie kennen sicher die Geschichte: Morgens aufstehen. Zur Arbeit gehen. Sich den Aufgaben stellen, die man vor sich hat. Jeder Augenblick wird als Mittel für den nächsten Augenblick erfahren. Ein Job führt zum nächsten. Sie werden zum Werkzeug Ihrer Aufgaben. Das ist Sklaverei, nicht Freiheit.

Sklaven sind an die Ziele ihrer Herren gekettet. Viele von uns halten sich für frei, weil sie formal keine Sklaven sind. Es steht uns frei, jederzeit zu gehen, wenn wir möchten. Oder doch nicht? Wir gehen nicht. Was hält uns? Unsere »Ziele«. Wie aufregend die Freiheit auch sein mag, wir haben Angst, uns jenen Navigationshilfen zu überlassen, die uns aus Dantes dunklem Wald herausmanövrieren könnten.

Ziele und Zwecke sind so hilfreich, wenn es darum geht, dem Leben eine Richtung zu geben. Sie sind so ausgezeichnete Organisatoren unseres Handelns. So wird Zielstrebigkeit, was sie auch wert sein mag, möglich. Mit einem einzigen »Ziel«, das wie ein Leuchtturm am Horizont scheint, läßt es sich einfach navigieren: nur auf jenen Punkt der Lichtquelle zuhalten und Volldampf voraus.

Irgendwie muß es einen Weg geben, nach mehr zu streben, als den Augenblick oder die Gesellschaft einiger Freunde zu genießen. Aber die gängigen Fortschrittsvisionen sind in unserer postmodernen Zeit zu Recht desavouiert. Womit lassen sich also die eigenen Ambitionen verknüpfen? Ich gehe davon aus, daß sowohl Gott als auch Karl Marx tot sind und daß das leidenschaftliche Streben nach religiöser Rettung oder politischer Revolution inzwischen nur noch kurios ist. Manche von Ihnen werden damit absolut nicht einverstanden sein. Für diejenigen, die nach wie vor das Königreich Gottes auf Erden suchen, ist die »Ziellosigkeit« kein Problem. Und jenen ideologisch engagierten Genossinnen und Genossen, die für die klassenlose Gesellschaft kämpfen, sage ich: »Sie haben Glück im Unglück: Sie werden vielleicht nie Erfolg haben, aber Sie haben zumindest das Glück, etwas zu haben, das Sie auf Ihrem Weg leitet.«

Alle anderen von uns, denen jener Leuchtturm am Horizont genommen worden ist, stehen vor dem Problem, herausfinden zu müssen, wie wir leben können. Wie können wir jetzt navigieren?

Wenn ultimative »Ziele« als Navigationshilfen fehlen, ergeben sich zwei Probleme, wobei das eine oberflächlich und offensichtlich, das andere hingegen relativ subtil ist. Bei dem ersten handelt es sich um die vertraute Erfahrung, sich verloren zu fühlen. Man hat keine Ahnung, wie man dorthin kommen soll, wo man hin möchte, weil man nicht weiß, wo man sich befindet. Das zweite ist tückischer: Hier geht es nicht nur darum, daß man sich außerstande sieht, dorthin zu kommen, wo man hin möchte, sondern daß es keinen Ort gibt, wo man hin möchte oder könnte. Verwirrung ist eine Sache, völlige Ziel- und Planlosigkeit jedoch eine ganz andere. Ziellosigkeit kann wie Nihilismus sein. Nichts ist es wert, daß man es tut.

Solche Probleme mit der »Ziellosigkeit« lassen die meisten nach einem höheren »Ziel« greifen. Sie wähnen sich in dem Glauben, der Verwirrung der Ziellosigkeit zu entgehen, wenn Sie nur den Zweck Ihres Lebens finden könnten. Aber wenn Sie versuchen, *den Nutzen* Ihres ganzen Lebens zu erkennen, bitten Sie darum, *benutzt* zu werden. Wenn Sie versuchen, *die Funktion* Ihres ganzen Lebens zu erkennen, bitten Sie darum, zu einem reinen *Funktionär* gemacht zu werden.

Das *nützliche* Selbst, das irgendeinem äußeren »Ziel« hörig ist, ist kaum mehr als ein Rädchen im Getriebe der großen industriellen Maschine, ein Mittel zu irgendeinem Zweck, der nicht sein eigener ist. Statt eines industriellen Paradigmas, das das Selbst als »menschliche Ressource«, als Mittel für die Realisierung irgendeines äußeren »Zieles« sieht, sollten wir uns besser ein künstlerisches Paradigma suchen.

Schönheit ist ein Zweck in sich, sie hat keinen anderen. Auch Kunst dient keinem anderen Zweck, was auch erklärt, warum alle Versuche fruchtlos sind, die *Funktion* der Kunst dingfest zu machen. Genauso dient das freie Individuum, statt den Zwecken anderer, seinem eigenen. Und zwar ohne egoistisch oder narzißtisch zu sein. Egoistisch wird es nur dann, wenn es sich die Selbstbefriedigung oder Selbstverwirklichung zum »Ziel« setzt. Aber die kunstvolle Schöpfung des Selbst in der tatsächlichen Zeit, ohne vorgefaßten Entwurf oder Plan, ist im Kern das, was ich mit »ohne ein Ziel zu leben« meine. Aber worin besteht der Unterschied zwischen einem Leben, das auf das »Ziel« der Selbstverwirklichung ausgerichtet ist, und dem Konzept, kunstvoll ohne ein »Ziel« zu leben? Um diesen relativ subtilen Unterschied zu erklären, sind mehr als nur einige Kapitel nötig.

*

Rhythmisch fällt dieses Buch in drei Hauptbewegungen. Nach einigen weiteren einführenden Seiten, die den Unterschied zwischen Zielen und »Zielen« definieren, geht Kapitel 3 dann auf einige der »Ziele« ein, die die »Babyboomer« maßgeblich beschäftigten: von der sozialen Gerechtigkeit und religiösen Heilssuche bis zum psychologischen »Ziel« der Selbstverwirklichung. Für viele »Boomer« wie auch zahlreiche andere wurden die sozialen und politischen »Ziele« schließlich zugunsten des psychologischen »Ziels« der Selbstverwirklichung beiseite geschoben. Diese Wende von äußeren »Zielen« zu inneren »Zielen« ist das Thema der zweiten Bewegung dieses Buches.

Für einige wenige war Selbstverwirklichung immer ein legitimes Ziel: für Könige und Aristokraten. Ihnen war vorbehalten, die Freuden der Selbstschöpfung oder die Sorgen der existentiellen Verzweiflung zu erfahren. Aber jetzt ist das Geheimnis gelüftet, und in den Psycho-Workshops herrscht Massenandrang. Nennen Sie es die Demokratisierung der Identität. Es hängt mit dem aufbrechenden Selbstbewußtsein von immer mehr Menschen zusammen, dem Erwachen der Schlafwandler, einer Belebung dessen, was früher kaum mehr als ein biologischer Automat war. Nennen Sie es die Befreiung der Sklaven. Nennen

Sie es, wie Tom Wolfe, eine »Glücksexplosion ... Ich-Erweiterung, die Politik des Genusses, der Selbstverwirklichungsmasche, die Pharmakologie der Überfreude«.[2] Einige nennen es Narzißmus und brandmarken es als die heute führende Form von Geisteskrankheit.

Nennen Sie es, wie Hegel, einen Prozeß des *Werdens*, des *Werdens zu sich*. Hören Sie, wie Nietzsches Zarathustra seine Beschwörung wiederholt: »Werde, der du bist!«[3] Hören Sie, wie Sokrates die Worte über dem Eingang zum Tempel des Orakels von Delphi zitiert: »Erkenne dich selbst.« Erinnern Sie sich an Carl G. Jungs endlose Traktate, die dem Prozeß der *Individuation* gewidmet sind: die allmähliche oder manchmal plötzliche Entdeckung des eigenen Individuationsprinzips *(principium individualitionis)*.

Jede Version hat ihr eigenes Individuationsprinzip, das dafür sorgt, daß jede Philosophie zumindest etwas anders als die nächste klingt. Aber alle teilen eine gemeinsame Tendenz. Irgendwie sagt jeder dieser Denker, Weisen, Psychologen und Philosophen seinen Lesern und Hörern: »Kommen Sie nicht wegen eines ›Ziels‹ zu mir. Das ist Ihre Sache. Sie müssen Ihren eigenen Weg finden. Sie müssen herausfinden, wer Sie sind.« Es klingt so einfach ... dieses »Ziel« der Selbstverwirklichung.

Aber natürlich ist es *keineswegs* einfach, da das Erwachen des Bewußtseins seinen Preis haben kann. Denn die Gesellschaft steht damit vor den Problemen der Kontrolle. Automaten sind wesentlich einfacher zu reglementieren, wenn man Zugang zu ihren Kontrolltafeln hat. Es ist kein Problem, Sklaven im Gleichschritt marschieren zu lassen; aber eine Horde selbstmotivierter Anarchisten in den Griff zu bekommen ist schwieriger, als einen Sack Flöhe zu hüten.

Doch auch der einzelne zahlt seinen Preis: den Verlust eines Solidaritätsgefühls, Einsamkeit und Angst angesichts des mangelnden Gefühls von einer klaren Richtung. Jean-

Paul Sartre faßte diese Angst der »Ziellosigkeit« in einen schönen Begriff, als er von der »ängstigenden Freiheit« sprach. Er schrieb auch: »Der Mensch ist eine nutzlose Leidenschaft.«[4] Die meisten verstanden diesen Satz als einen Ausdruck pessimistischer Verzweiflung. Ich interpretiere Sartres These zur Nutzlosigkeit als eloquente Feststellung über das Wesen der Freiheit.

Die Wende von den gesellschaftlichen »Zielen« zur Selbstverwirklichung mag vielleicht wie die Aufgabe jugendlicher »Ziele« zugunsten der bescheideneren Ziele des Erwachsenenalters aussehen. Aber die gleiche Leidenschaft, mit der wir uns in den Sechzigern der Gesellschaft widmeten, verwandten wir in den Siebzigern dann auf uns selbst, in diesem Jahrzehnt, das Tom Wolfe so treffend als »The Me Decade« bezeichnet hat. Statt die »Ziellosigkeit« zu erreichen, wurde diese Kultivierung des kostbaren Selbst unser »Ziel«. Mit dem Ergebnis, daß die Gesellschaftskritiker schon bald über einen schleichenden Narzißmus klagten. Die Kapitel 4 und 5 beschäftigen sich mit der zweiten Bewegung dieses Buches: von den äußeren »Zielen« der Sechziger zu dem inneren »Ziel« der Siebziger. Aber zwischen dem »Sommer der Liebe« von 1967 und dem lieblosen Narzißmus der Siebziger muß es irgendwo einen dritten Weg geben. Und so gehen die Kapitel 6 bis 8 dann auf die Subtilitäten der Sublimierung ein, um eine »ziellose« Liebe zu beschreiben, die weder egozentrisch noch so romantisch ist, daß sie nicht halten kann. Um in die Geheimnisse dieser Liebe einzudringen, verbindet dann die dritte Bewegung die erotische Sublimierung mit der Sublimierung der Wirtschaft: der Entwicklung vom Industrie- zum Informationszeitalter.

Der Schlußteil, Kapitel 9, geht auf die Großartigkeit der »Ziellosigkeit« in einem »kunstvollen Leben« ein. Ohne ein »Ziel« zu leben ist mit dem Schaffen eines Kunstwerkes vergleichbar. Die künstlerische Kreativität dient keinem Ziel, das über sie selbst hinausgeht. Ein Kunstwerk kann eine Wirkung haben, aber das ist nicht der Grund, *warum* es geschaffen wurde. Die künstlerische Kreativität ist nicht wie die Technik an Ziele gebunden. Ein Ingenieur hat eine Aufgabe zu erfüllen und beschafft sich die Werkzeuge und Mittel, die er dazu braucht. Ein Künstler mag von irgendeinem Traum vom perfekten Kunstwerk getrieben werden, aber der Akt der Schöpfung ist voll von Momenten der freien Wahl, die nicht wie die Berechnungen des Ingenieurs von Notwendigkeiten diktiert werden.

*

Dieses Buch hat ein durchgängiges Leitmotiv – den Hintergrund wechselnder Epochen, vom Agrarzeitalter über das Industriezeitalter bis zum heutigen Informationszeitalter. Bei der industriellen Technologie haben wir es mit einer gewaltigen Konstruktion von Werkzeugen für die effiziente Produktion von Produkten zu tun, die unseren Wünschen und Bedürfnissen dienen. Die »Ziellosigkeit« stellt eine Alternative zu der instrumentellen Rationalität dar, die jedes Handeln als Mittel zu irgendeinem Zweck oder Ziel sieht. Die Alternative zur instrumentellen Rationalität ist eine gefühlsbetontere Sensibilität, die weniger darauf aus ist, die Welt zu *manipulieren,* sondern sie vielmehr *schätzen* möchte.

Was auch immer wir der Natur angetan haben mögen, wir hatten gute Gründe, ein gewisses Geschick für die Manipulation unserer physischen Umwelt zu entwickeln. Der Kampf ums Überleben verlangte es. Effizienz und Produktivität waren legitime Maßstäbe bei der Bewertung der Mittel zum Überleben. Aber das Problem ist, daß wir, nachdem wir es gelernt hatten, diese Überlebensmaßnahmen zu nutzen, mentale Gewohnheiten entwickelten, die wir dann – illegitimerweise – auch auf andere Bereiche ausdehnten, wie etwa auf die menschliche Freiheit, die Kunst, die Symbolik oder den Humor.

Um uns im anbrechenden Informationszeitalter selbst begreifen zu können, müssen wir uns von einem Vokabular verabschieden, das aus dem Bereich der Mechanik und Technik stammt – von Worten wie »materiell«, »Grenznutzen«, »Effizienz« und »Produktivität«. Wir müssen uns ein neues Vokabular zu eigen machen, Konzepte, die sich aus der Kunst- und Informationstheorie ableiten – Worte wie »sublim«, »Spontaneität«, »Kreativität« und »Grenzintensität«. Zeichen und Symbole können nicht auf der Grundlage von Physik und Maschinenbau verstanden werden. Ebensowenig die Menschen. Wie die fruchtlosen Dispute über Freiheit und Determinismus im Industriezeitalter gezeigt haben, ist es müßig zu erwarten, daß der Begriff der Freiheit mit den Kategorien der instrumentellen Rationalität von Werkzeugmachern erklärt werden kann.

Der Zustand der »Ziellosigkeit« und der Zustand des Künstlers teilen einen ähnlichen Rhythmus, eine ähnliche Einstellung zur Zeit. Der realen Zeit. Nicht routinemäßige mechanische Abläufe stehen im Vordergrund, sondern die Spannung und die Chance des Unerwarteten. Gleichwohl heißt »Ziellosigkeit« nicht »Laß uns heute leben, morgen sind wir vielleicht schon tot«. Die reale Zeit endet nicht mit der Gegenwart. Die reale Zeit hat eine Zukunft. Die erstarrte Gegenwart existiert nur im Scheinexistentialismus der Bierwerbung. Die reale Zeit hat einen langen Schwanz, der Geschichte heißt, und vor ihr erstreckt sich weit mehr als nur ein Weg ins Unbekannte. Die reale Zeit ist unabänderlich. Fehler können gemacht werden. Erfolge können erreicht werden. Und nichts, absolut nichts ist garantiert, nicht die Morgenzeitung, nicht die Postzustellung, nicht die Liebe. Die heutige Zukunft ist so absolut unbekannt, so unaussprechlich, so weitgehend unvorhersehbar.

»Große Ziele« mit Namen wie »Schicksal« sind mit der Struktur der realen Zeit nicht vereinbar. Sie behandeln die

Zukunft, als hätte sie die Bestimmtheit der Vergangenheit. Aber nicht einmal die Vergangenheit ist absolut determiniert. Der Schwanz der Gegenwart hat es an sich, immer wieder mit neuen Interpretationen und neuen Bedeutungen um sich zu schlagen. Aber die Vergangenheit ist zumindest determinierter als die Zukunft. Sie liefert uns zumindest annähernd so etwas wie Fakten.

Ohne ein »Ziel« zu leben setzt weder den Optimismus auf eine sichere Zukunft noch den Pessimismus der Hoffnungslosigkeit voraus. Die »Ziellosigkeit« setzt weder auf das Versprechen, daß bessere Tage kommen, noch gibt sie entsprechende Hoffnungen auf. Vielleicht wird alles besser, vielleicht auch nicht. Wer weiß das? Ohne ein großes Ziel zu leben und statt dessen viele Ziele zu orchestrieren, bietet uns in jedem Fall Möglichkeiten der freien Wahl, der Gestaltung, der Intelligenz und des Spiels.

*

Es ist eine Frage von Arbeit und Spiel, die uns noch weiter beschäftigen wird. Zuviel von unserer Arbeit summiert sich zu einer Plackerei, bei der es allein darum geht, irgendwelche Zwecke zu erreichen, bei der man mechanisch einen Fuß vor den anderen setzen muß, um durch enge Korridore zu eng gesteckten Zielen zu gelangen. Das Spiel erweitert diese Flure. Die Arbeit wird immer bleiben, und viele Arbeiten sind lohnenswert. Aber bezeichnend für die lohnenswertesten Arbeiten ist, daß sie oft eine kunstvolle Kreativität widerspiegeln, die mehr nach Spiel als nach Arbeit aussieht.

Denken Sie an musikalische Improvisationen, Künstler bei der Arbeit, Aufgaben, die Kreativität verlangen. Wenn man anfängt, weiß man nicht immer genau, wo man endet. Man hat nicht immer ein klares Ziel. Denken Sie nur daran, wie verrückt allein die Frage ist: Was ist der Zweck des Spiels?

Ein Loblied auf das Spiel klingt frivol. Allein die Idee, ohne ein »Ziel« zu leben, klingt nach Luxus. Es ist jedoch eine Tatsache, daß, nachdem die einfacheren Arbeiten mehr und mehr ins Ausland verlagert worden oder der Automatisierung zum Opfer gefallen sind, die verbliebene Arbeit ein höheres Niveau an intelligenter Kreativität verlangt. Mit dem Beherrschen und Einhalten von standardisierten Routineverfahren läßt sich weniger verdienen, es gibt weniger Möglichkeiten für menschliche Automaten. Innovation ist in einer Informationswirtschaft so wichtig, wie es die Standardisierung für die Industriewirtschaft war. Aber Innovation ist das genaue Gegenteil von Standardisierung, sie sind so unterschiedlich wie die Produktion von immer wieder *anderem* im Vergleich zur Massenproduktion des immer wieder *gleichen, gleichen, gleichen*.

Je weniger mechanisch und einfach eine Aufgabe ist, desto mehr kommen Verspieltheit und Kreativität zum Tragen. Das Kunstvolle an einem Leben ohne ein »Ziel« kann insofern den Zielen der Arbeit dienlich sein, als nun statt Plackerei und Versklavung Kreativität und Freiheit mit ins Spiel kommen.

Aber wenn ich mich nun dem Paradox der nützlichen Nutzlosigkeit – oder dem Ziel der »Ziellosigkeit« – nähere, habe ich irgendwie das ungute Gefühl, ich versuchte, einen Witz zu erklären. Die Arbeit mit dem Spiel zu verbinden ist nicht weniger schwierig, als beim Spiel zu arbeiten. Hüten Sie sich vor der gezwungenen Fröhlichkeit eines Betriebsausflugs. Personen, die auf der Nützlichkeit des Spiels beharren, haben etwas Trauriges an sich. Sie bringen die gleiche Strenge und Reglementierung, die sie bei ihrer Arbeit brauchen, auch mit in ihr Spiel. Sie können sie in den Fitneßclubs sehen, wo sie zum rasselnden Lärm der Maschinen die Zähne zusammenbeißen. Aber diese nützliche Langweiligkeit des Trainings ist das genaue Gegenteil der nutzlosen, verspielten Leidenschaft, die der Freiheit zugrunde liegt.

Das nützliche Selbst arbeitet immer. Das freie Selbst weiß, wie es spielen kann. Die Trennungslinie zwischen nützlicher Arbeit und nutzlosem Spiel ist keineswegs starr und beständig. Wie die Kritiker von Bürokratien nur zu gut wissen, ist manche Arbeit nutzlos. Und das Spiel hat seinen Nutzen: Erholung, Entspannung, Lernen. Aber genau wie die Kunst trägt das Spiel weitestgehend seinen Zweck in sich. Und eine zweckmäßige Arbeit hat ihre Tugenden. Es gibt immer Arbeit, die zu erledigen ist. Jeder Job hat seine Aufgaben und seine eigenen nützlichen Werkzeuge. Es wäre verrückt, uns des gesamten Vokabulars des zielgerichteten Handelns zu entledigen. Aber die Beschäftigungen, die im Industriezeitalter – mit der Technik und Technologie, der Nützlichkeit, Produktivität und Effizienz – im Vordergrund standen, sind nicht die Art von Beschäftigungen, um daran ein ganzes Leben auszurichten, insbesondere nicht, wenn mehr und mehr von diesem Leben in der »symbolischen Wirtschaft« des Informationszeitalters gelebt wird.

*

Ehe ich näher beschreibe, was ich mit »Ziellosigkeit« meine, möchte ich erklären, was ich nicht meine, um von vornherein die Formen der Ziellosigkeit auszusondieren, die unhaltbar sind. Wir wollen daher zunächst einen kleinen Katalog über Formen und Varianten der »Ziellosigkeit« erstellen und jeweils kurz anmerken, inwieweit sie im einzelnen (in)akzeptabel sind.

Impulsivität

Manche setzen sich lieber überhaupt nicht mit Zielen auseinander, sondern leben völlig impulsiv. In seinem Dokumentarspiel *Gnadenlos – Das Lied vom Henker* über Gary Gilmore, einen Killer, porträtiert Norman Mailer die Unmittelbarkeit und Impulsivität von Gilmores Handlungen. Wie kurz war in seiner Welt der Schritt vom Wunsch zur Befriedigung! Durstig? Ein Bier? Zur Hölle mit den langen Verbindungsketten: vom Wunsch über die Realisierung eines Mangels und die Lohnarbeit bis zum Kauf. Statt dessen: Es gibt Bier im Regal. Schnapp's dir und knall den Typen hinter der Theke ab, wenn er Einwände hat! Peng! Und als nächstes? Die Tyrannei des Impulses führt dazu, kurzsichtig nur den Augenblick zu sehen. Wenn Sie nicht über diesen Augenblick und seinen Hunger hinausblicken können, laufen Sie Gefahr, im Todestrakt zu enden.

Genau wie der Künstler in seinem Studio muß der Mensch für sein Leben aus seinem Innern heraus schöpfen, statt sich auf irgendeinen großartigen Entwurf zu verlassen, mit dem er sein Handeln hier auf Erden rechtfertigen könnte. Wenn man aber nie sehr weit über das »Innere« des gegenwärtigen Augenblicks hinauskommt, bleibt das Streben nach Freude auf animalische Instinkte und unmittelbare Impulse begrenzt. Dieses Streben nach Freude kann aber kultiviert werden. Es kann den hochgestochenen Anspruch einer Philosophie gewinnen: Hedonismus.

Hedonismus

Das Vergnügen ist ein großartiger Lehrer, wenn es um die Verrücktheit der instrumentellen Auffassung geht, daß *jede* Aktivität ein Mittel zum Zweck ist. Wer von uns hat nicht schon die Qual eines fehlgeschlagenen Hedonismus erfahren? Sie glauben, genau zu wissen, was Ihnen fehlt, um sich phantastisch zu fühlen. Sie sorgen für alles, so daß es genau richtig ist – die Umgebung, die Musik, die männliche oder weibliche Gesellschaft, die Kleidung –, und irgendwie wird das erwartete Vergnügen durch die übergenaue Vorbereitung vereitelt. So gesehen ist das Vergnügen eine problematische Sache. Das Vergnügen hängt von dem Unerwarteten ab. Wie Kunst und Humor entzieht es sich der Erklärung und widersetzt sich der sorgfältigen Planung. Sie können sich das Vergnügen nicht zum *Ziel* machen, damit schränken Sie nur die Wahrscheinlichkeit ein, daß es unerwartet und plötzlich da ist. Das Vergnügen kann umworben, aber nicht berechnet werden.

Zynismus

Zyniker sind insgesamt zu berechnend, zu schnell, um die Nichtigkeit aller Dinge zu sehen und die Nichtswürdigkeit eines jeden, der Freude sucht. Ihnen ist eine Bitterkeit eigen, die alles schon einmal erlebt und gehabt hat, eine weltliche »Weisheit«, die die Seele ihrer Möglichkeit zur Spontaneität beraubt.

Zynismus ist verlockend für Intellektuelle, die sich mit der Fähigkeit brüsten, *Äußerlichkeiten zu durchschauen.* Die größte Sünde für einen Intellektuellen ist die Naivität – Dinge oberflächlich zu bewerten und für bare Münze zu nehmen. Was zu der Tendenz führt, auch dort nach Tiefe zu suchen, wo es keine gibt. Bei Intellektuellen besteht die Neigung, in emotionale wie auch intellektuelle Tiefen zu rutschen. Die Depression, die oft in Verbindung mit Zynismus auftritt, genießt eine gewisse Respektabilität: Zumindest hat man nicht dummdreist irgendwo etwas mitgehen lassen oder ist auf irgendwelche falschen Ziele hereingefallen. Und die Depression liefert eine kognitive Beruhigung: Zumindest dieses eine Mal weiß man mit Sicherheit etwas. Man *weiß*, daß sich nichts lohnt und nichts der Mühe wert ist. Die zersetzende Macht des Zynismus zerfrißt alle Ziele und läßt dem Zyniker keine Quelle der Begeisterung.

Buddhismus

Wie der Zyniker praktiziert der Buddhist die Bindungslosigkeit bzw. Wunschlosigkeit. Wie der Zyniker strebt der Buddhist nach der Befreiung von der hedonistischen Bindung an das Wunschziel: das sofortige Vergnügen. Es gibt jedoch einen Unterschied zwischen Buddhismus und Zynismus, ein Unterschied, der allerdings nicht immer leicht zu erkennen ist. Im Leben des Buddhisten spielen unterschiedliche Grade von Enttäuschungen keine Rolle. Das Nirwana ist eine Form der Glückseligkeit, die das Leeren des Geistes voraussetzt, es ist nicht das Ergebnis geistiger Berechnung. Die buddhistische Vorstellung von der Bindungslosigkeit erfaßt etwas von der Idee der »Ziellosigkeit.« Auf den ersten Blick erscheint die Bindungslosigkeit wie ein Armutsgelübde: Sie geben Ihre Bindungen an *Dinge* auf. Aber genauso wichtig ist es, die Bindung an bestimmte *Ergebnisse* Ihres Handelns – die Ziele – aufzugeben. Dieser aktiv-passive Zustand des Seins ist nicht unbedingt ein Zustand des Nichtstuns. Die Zen-Texte sprechen von einem Tun, das ein Nichttun ist. Es gibt eine bestimmte Qualität der Konzentration, bei der der Handelnde verschwindet und das Tun alles ist. Die Buddhisten sprechen hier von »Leerheit«, einem kontemplativen Zustand des Seins, der es der Lotusblüte ermöglicht, den Betrachter zu betrachten. Heidegger nannte es *Gelassenheit,* ein Seinlassen-was-ist. Auch Nietzsche war diese Form des *Tuns* sehr wohl bekannt. In seinem Werk *Zur Genealogie der Moral* schreibt er: »Es giebt kein ›Sein‹ hinter dem Thun, Wirken, Werden; ›der Thäter‹ ist zum Thun bloss hinzugedichtet, – das Thun ist Alles.«[5]

Faulheit

Wir kennen das Nichtstun, eine tückische Form der Ziellosigkeit. Dieses nicht, jenes nicht, nichts packt und fesselt das Interesse. Nichts scheint der Mühe wert zu sein. Aber es genügt nicht, einfach nur zu *sein*. Es genügt denjenigen von uns nicht, die obsessive Tatmenschen sind, einfach um zu leben, um keinen Hunger und keinen Schmerz zu empfinden. Aber der Zustand der Befriedigung ist zwangsläufig kurz, da Sie sich immer wieder besorgt fragen: *Leiste ich genug? Habe ich die Luft verdient, die ich atme? Bin ich faul?*

Und was, wenn die Antwort ja ist? Was, wenn Sie es sich erlauben zu faulenzen? Was dann? Müssen Sie dann Schuldgefühle haben? Müssen dann Selbstbezichtigungen kommen? Ja, manchmal. Diese Abhandlung über die »Ziellosigkeit« läuft nicht darauf hinaus, uns von allen Fußangeln zu befreien. Wenn Sie sich selbst oder jemand anderem etwas versprochen haben und dieses Versprechen verlangt, daß Sie eine Arbeit tun, dann ist es nicht in Ordnung, sie im Namen der »Ziellosigkeit« beiseite zu schieben und einfach sitzen zu bleiben.

Sie glauben vielleicht, daß die Geschichte Ihnen etwas versprochen hat, daß Sie ein bestimmtes Schicksal haben, das Sie ohne sonderliche Mühe und Anstrengung durchs Leben ziehen wird. Hüten Sie sich jedoch vor dem Reduktionismus des Schicksals. Schauen Sie sich an, wie die Konzentration auf ein bestimmtes Schicksal die Gegenwart zu einem bescheidenen Pflasterstein auf dem Weg in eine vorherbestimmte Zukunft reduziert.

Kein Ziel darf so anspruchsvoll sein, daß wir am Ende Gefahr laufen, nicht mehr zu wissen, *wer* sich da eigentlich um die Erreichung dieses Zieles bemüht. Und das ist immer die Gefahr, oder? Daß ein Ziel uns aus unserer Faulheit herausreißt und uns so viel abverlangt, daß ein völlig anderes als das ursprüngliche Selbst in den Genuß der Belohnung kommt. Und das ist auch der Grund, warum wir Angst vor Obsessionen haben, obgleich unsere Obsessionen ein so guter Ersatz für Ziele sind.

Obsession

Obsessionen können als Ersatz für Ziele dienen, indem sie dem Leben eine Richtung geben. Wo das Schicksal uns eine Richtung gibt, indem es uns in eine bestimmte Zukunft zieht, ist der Druck der Obsession mehr wie ein Schub aus der Vergangenheit, die wir nicht abschütteln können. Die Obsession ist in Wirklichkeit ein Segen, auch wenn sie im allgemeinen für einen Fluch gehalten wird. Die Obsession duldet keine Zweifel hinsichtlich des Objekts der Begierde, und sie unterliegt selbst keinem Zweifel. Sie kennt keine dieser »Sein- oder Nichtsein«-Fragen. Keine dieser *Könnte-ich-mich-irren?*-Fragen.

Wegen der Intensität einer Obsession mag es so aussehen, als sei sie mit dem einengenden Zwang und Druck eines Ziels verbunden. Aber unsere Obsessionen treiben uns zu erregenden und aufregenden Erfahrungen, ohne uns nur auf einen einzigen Weg zu beschränken. Für einen obsessiven Angler gibt es keine zwei Angelpartien, die gleich wären. Aber der Gelegenheitsangler ist zu bedauern, da ihn das Warten langweilen wird. Es gibt keine zwei Golfspiele, die für den obsessiven Golfer gleich wären. Aber zu bedauern ist der Gelegenheitsgolfer, denn er wird sein Handicap niemals verringern. Genauso gibt es keine zwei Skiläufe, die gleich sind. Aber die Gelegenheitsskiläuferin wird sich nie von den Gipfeln herabschwingen. Und ebensowenig gibt es zwei Verführungen, die gleich sind. Aber der Gelegenheitsliebhaber kennt die Leidenschaft nicht.

Einige Obsessionen sind hingegen nicht ungefährlich, und sie sollten auf dem Altar der »Ziellosigkeit« geopfert werden: der obsessive Wunsch nach Reichtum, der sich in eine unersättliche Gier verwandelt, oder eine sexuelle Obsession, die alles Leben auf eine endlose Jagd reduziert. Aber seien Sie auf der Hut vor allem, was zwanglos ist: zwanglose Kleidung, zwanglose Abende, zwanglose Affronts. Sie kaschieren einen Mangel an Selbstvertrauen, der

tiefer geht als die gekünstelte Oberflächlichkeit der zwang-
losen Haltung.

Das Ende der Geschichte und
das Ziel des Fortschritts

Brillant, aber irreführend, verkündete Francis Fukuyama
»das Ende der Geschichte«, eine Aussicht, die das »Ziel«
des Fortschritts aufzuheben schien. Für Fukuyama ist der
Niedergang des Marxismus das definitive Zeichen für das
Ende der ideologischen, politischen Rechts-Links-Ausein-
andersetzung. Und »der Tod dieser Ideologie« bedeutete
aus seiner Sicht zugleich ein »Wachsen des ›Freien Marktes‹ der internationalen Beziehungen und eine deutliche
Reduzierung der Wahrscheinlichkeit weitreichender zwi-
schenstaatlicher Konflikte«.[6]

Ist der Frieden auf Erden der Auftakt zum Utopia?
Nicht unbedingt. »Das Ende der Geschichte wird eine sehr
traurige Zeit sein«, schrieb Fukuyama. »Der Kampf um
Anerkennung, *die Bereitschaft, das eigene Leben um eines
rein abstrakten Zieles willen zu riskieren,* der weltweite
ideologische Kampf, der Kühnheit, Mut, Imagination und
Idealismus verlangte, wird durch ökonomische Berechnung, das endlose Lösen von technischen Problemen sowie
Umweltproblemen und die Befriedigung sophistischer Ver-
brauchernachfragen ersetzt. In der nachgeschichtlichen Periode wird es weder Kunst noch Philosophie geben, nur
die beständige Pflege des Museums der menschlichen Geschichte ... Jahrhunderte der Langeweile ...«[7]

Obgleich ich Fukuyamas Einschätzung zur Entwicklung
von einer politischen zu einer ökonomischen Logik der
Geschichte teile, trennen sich unsere Wege jedoch an dem
Punkt, wo er seine »Jahrhunderte der Langweile«, ohne
Kunst oder Philosophie, erreicht. Kunst und Philosophie
setzen exakt dort ein, wo die politische Geschichte als

Marschieren in dicht geschlossenen Gliedern aufhört. Erst *nachdem* das langweilige Schwingen des Pendels der politischen Geschichte mit den sich ständig wiederholenden Zyklen von rechts nach links, links nach rechts, rechts nach links aufgehört hat, gibt es für uns die Chance, mit der weniger mechanistischen Kreativität der Kunst und Philosophie weiterzukommen.

Erst jetzt können wir den Mechanismus der politischen/industriellen Moderne hinter uns lassen, über den Bereich der Notwendigkeit hinaus in den Bereich der Freiheit gehen und anfangen, die Dinge auf uns zukommen zu lassen und unser Leben so künstlerisch wie möglich zu gestalten. Erst jetzt können wir von den politischen und industriellen Zielen befreit werden, die uns zu *Funktionären* machen, und letztlich *Künstler* des menschlichen Lebens werden.

Wird es in einem Leben, das weder transzendente Zwecke noch religiöse Kreuzzüge oder revolutionären Eifer kennt, noch irgendeine Leidenschaft geben? Müssen wir Fahnen haben, unter denen wir marschieren, Ideologien, die uns auf unseren Wegen leuchten? Wenn es dereinst die großen Ziele nicht mehr gibt, sind wir dann zur Langeweile verurteilt, oder können wir in den kleinen Dingen des Lebens etwas finden, wofür wir uns begeistern? Ist es kleingeistig, das Spektrum menschlicher Anliegen von den kosmischen zu den historischen auf die alltäglichen zurückzuschrauben? Ich glaube nicht, denn die Unermeßlichkeit eines jeden Augenblicks ist manchmal mehr, als man ertragen kann, wenn man eine Perspektive jenseits der instrumentellen Rationalität gefunden hat. Und ohne ein »Ziel« zu leben verlangt andere Quellen des Sinns zu finden.

Am Ende jeder Ära gibt es gerne großes Wehgeschrei, Zähneknirschen und das Gerede vom Tod dieses oder jenes. Wir erleben und durchlaufen jetzt eine solche Phase der Geschichte. Und das erklärt die große Niedergeschlagenheit von Personen, die im Einklang mit jenen institutionellen Strukturen lebten, die heute zerbröckeln. Individuen sind nicht immun gegenüber Einflüssen aus ihrer institutionellen Umwelt. Die Familie, die Form der Arbeit, das Gefüge von Beziehungen, die ein Leben ausmachen, all das unterliegt der historischen Veränderung. Und wenn eine Geschichtsepoche durch eine andere abgelöst wird, kann eine Persönlichkeit, die sich in der nun endenden Ära herausgebildet hat, sich entsetzlich abgetrennt fühlen, wie jemand, der seine Sachen für die falsche Reise gepackt hat.

✻

Wie haben wir für diese Reise gepackt? Wie sind wir in die Sklaverei der großen Ziele geraten? Ganz einfach, wirklich. Sie kennen die typischen Sprüche, die man überall hört und die uns einschränken: »Wenn ich diesen Job kündige, werde ich dann einen ebenso guten anderen finden? Ich brauche diesen Job, um mein Auto und die Wohnung zu bezahlen. Vielleicht komme ich über diesen Job an einen besseren, einen besser bezahlten Job und an ein besseres Auto und ein Haus ...«

Und was dann? Jenseits des Horizonts der Gegenwart winkt eine »bessere« Zukunft. Ein »besserer« Job. Eine »bessere« Wohnung. So wird die Gegenwart zu einer kurzen Schmach, die man am besten vergißt. Die Gegenwart ist öde, nichts weiter als eine Zeit der Vorbereitung. Sie werden ungeduldig angesichts des Tempos dieser Gegenwart. Sie beschließen, härter zu arbeiten, um so Ihr »Ziel« in der Zukunft schneller zu erreichen.

Ihre Freiheit könnte durch einige Verbesserungen an Attraktivität gewinnen: bessere Kleidung, ein größeres Heim, mehr freie Zeit. Aber diese Verbesserungen erfordern Ressourcen. Ihnen fällt auf, daß diejenigen, die über die nötigen Mittel verfügen, Jobs mit beeindruckenderen Titeln und höheren Gehältern haben. Um an einen dieser Jobs zu kommen, müssen Sie sich auf eine Karriere vorbereiten, die

Ihnen ein höheres Einkommen verspricht. Folglich gehen Sie zur Schule, die Sie dann als Vorbereitung für das eigentliche Leben, nicht als das Leben selbst sehen. Sie machen Ihre Hausaufgaben. Sie gewöhnen sich daran, in einer Gegenwart zu existieren, die nur eine Antizipation einer besseren Zukunft ist. Sie gewöhnen sich daran, nach einem fernen »Ziel« zu streben. Und die Schule bereitet Sie im übrigen auch darauf vor, in einer Weise zu leben, die nicht wirklich leben bedeutet, sondern eine immerwährende Vorbereitung auf das Leben ist.

Sagen wir, Sie fliegen nicht wegen irgendeines Vergehens von der Schule; Sie erreichen Ihren Abschluß. Die Richtung, in die Ihre Ausbildung geht, ist indes längst nicht mehr *Ihr* Ziel; sie läuft genau genommen vielmehr auf eine Reihe von Zielen hinaus, die Ihre Lehrer festgelegt haben: einen Lehrplan. Aber pflichtbewußt springen Sie durch alle Reifen und über die Latten, die Ihre Lehrer immer höher hängen. Diese Turnübungen machen Ihnen im Zweifel wenig Spaß, weil sie ja schließlich nur eine Vorbereitung auf das Eigentliche sind. Aber sagen wir, Sie absolvieren erfolgreich alle Kurse und können Ihren Abschluß machen. Sie haben Ihr Ziel erreicht. Aber haben Sie es wirklich erreicht? Denn im Laufe Ihres Studiums wurden Ihnen neue Horizonte eröffnet. Es gibt weiterführende Schulen, Schulen, die zu Karrieren führen, die weitaus verlockender sind als der Job, den Sie zunächst vor Augen hatten. Und so zeigen Sie jetzt, daß Sie Ihre Lektionen gut gelernt haben, indem Sie nun selbst das für sich tun, was Ihre Lehrer früher für Sie getan haben: *Sie legen die Latte selbst höher.* Sie setzen sich selbst ein höheres »Ziel«.

Diese Geschichte mag nur vage skizziert, ihr Plot dürfte jedoch vertraut sein. Sie können den Namen Ihrer Schule und das Datum Ihres Abschlusses einsetzen. Aber dann werden die Dinge wahrscheinlich verschwommener, wie fast immer bei dem nächsten Lehrplan, dessen Ziel weder Mutter Natur vorgibt noch die von anderen gesetzten

Ziele. Es steht zu erwarten, daß Sie sich in dem Glauben wähnen, andere erwarten von Ihnen, daß Sie ein präzises »Ziel« für den Lehrplan des Lebens haben, das Ihnen in Wirklichkeit aber fehlt, so daß Sie leichte Schuldgefühle haben, weil Sie das vermeintlich von Ihnen erwartete »Ziel« nicht so genau formulieren können. Dieses unklare »Ziel« hat sowohl den Adel als auch das Geheimnisvolle Gottes. Dieses verschwommene Ziel, das wie der Gipfel des Olymps von Wolken verhangen ist, diktiert Ihre Ehrfurcht. Und dieses schwer definierbare »Ziel« reduziert auch Ihr Erwachsensein auf eine kindische Unterwürfigkeit.

Die Moral dieser Geschichte ist klar: Hüten Sie sich vor der Versklavung gegenüber irgendeinem einzigen, alles in den Schatten stellenden »Ziel«. Dabei kann auch Ihre Freiheit in den Schatten gestellt werden. Gleichwohl gilt, daß Sie Gefahr laufen, in eine entsetzliche Ziellosigkeit zu rutschen, wenn Sie alle Ziele aufgeben. Nicht nur, daß dann Ihrem Leben ein Sinn fehlt; er fehlt auch dem nächsten Augenblick. Warum am Morgen überhaupt aufstehen? Bei diesem Buch geht es darum, genau jene Zone zwischen der Sinnlosigkeit und einem »Sinn« zu finden. Wie können Sie Ihren Tagen einen Sinn geben, ohne »den Sinn des Lebens« gefunden zu haben?

Im nächsten Kapitel werden die Grenzen jener Zone zwischen »Sinn« und Sinnlosigkeit durch Personen verdeutlicht. Wir begegnen Lila, einem »Ziel«-Junkie, der abhängig von einem »Sinn« ist, und Spike, einem Typen, der sich tätowieren läßt, weil, verdammt, warum nicht? In den nachfolgenden Kapiteln geht es zunächst um Lila, um ihr auf ihrem Trip von einem großen Ziel zum nächsten zu folgen; und in der Folge um Spike, um ihn aus seinem narzißtischen Rückzug in die Falle der nihilistischen Ziellosigkeit (die hier nicht in Anführungsstrichen steht!) herauszulocken. Bis dann die dritte Bewegung beginnt, werden sich Spikes und Lilas Leben einer Liebe angenähert haben, die verbindlicher und zielorientierter als Spikes Augenblicksimpulsivität, aber dennoch weniger mit einem »Sinn« befrachtet ist als die perfekte Liebe, die Lila als ein »Ziel« vor Augen hat. Über dieses Hin- und Herspringen zwischen Extremen, die zunächst wie Stereotypen aus einem Cartoon erscheinen mögen, wird das Buch dann im weiteren jene Zone zwischen »Sinn» und Sinnlosigkeit, zwischen der Verfolgung großer Ziele und einem ziellosen Nihilismus füllen.

Zwei Extreme: Lila und Spike

Darin drückt sich die Grundtatsache des menschlichen Willens aus ... : *er braucht ein* Ziel – und eher will er noch *das Nichts* wollen als *nicht* wollen.

Friedrich Nietzsche,
Zur Genealogie der Moral[8]

Kapitel 2

Das Konzept, ohne ein »Ziel« zu leben, betrifft eine Zone, die auf der einen Seite unscharf durch eine hoffnungslose Ziellosigkeit und auf der anderen durch ein Leben begrenzt wird, das ein großes Ziel verfolgt. Da die Grenzen unscharf sind, ist es am besten, sie jeweils mit einem konkreten und komplizierten Leben statt mit irreführenden eleganten Theorien zu verdeutlichen. Lila lebt ihr Leben weitestgehend mit einem großen Ziel vor Augen – wozu an einem Punkt auch die Leere gehört. Spike hingegen versucht, ohne jeden Zweck zu leben. Über die Begegnung mit Spike und Lila wird uns jene zwischen ihnen liegende Zone der »Ziellosigkeit« vertrauter werden.

Lila ist fünfundvierzig, lebt in Los Angeles oder vielleicht auch in Eugene. Sie ist fast ihr ganzes Leben wie gebannt einem, diesem oder jenem großen Ziel hinterhergerannt, aber jetzt ist sie verwirrt. Sie hat gerade den dritten Job aufgegeben, den sie seit ihrer Scheidung angefangen hat. Das Leben ging nicht ganz so auf, wie Lila es sich erwartet hatte.

Sie hat nicht unbedingt finanzielle Schwierigkeiten. Nach einem Autounfall vor sechs Jahren erhielt sie einen ganz ordentlichen Schadenersatz. Ein Lkw des Postal Service, bei dem die Bremsen versagten, hatte ihren Volvo-Kombi zu Schrott gefahren. Und ihr zweiter Mann, der den Volvo gekauft hatte, zahlt ihr nach wie vor Unterhalt. Aber durch die Arbeit hat sie etwas zu tun. Würde sie nicht arbeiten, verbrächte sie mehr Zeit auf Dr. Wassersteins Couch und würde sich Gedanken über die Parkuhr machen, die zweifünfzig in der Minute schluckt. Wenn sie nicht arbeitet, wird sie depressiv und greift, um wieder ins Gleis zu kommen, in ihrer Verzweiflung nach jedem Strohhalm.

Es gab schon sehr viele und unterschiedlichste Gleise, die letztlich alle nirgendwohin führten. Und nun fragt sie sich, ob sie überhaupt jemals den Pfad, den Weg, das Tao ... finden wird. So viele Trips! Sie war siebzehn, als sie im Juni 1967 die High-School abschloß, in den Westen aufbrach und gerade rechtzeitig für den »Sommer der Liebe« in Haight Ashbury eintraf. Sie war damals so voller Hoffnungen, so voller Liebe. Aber alles, was sie im September dann vorzuzeigen hatte, waren verschwommene Erinnerungen an eine Reihe bärtiger Gesichter und die typischen langen, fließenden Batikkleider.

In jenem Winter wurde sie kritischer. Sie hatte diese Sehnsucht, die Welt zu retten, und dazu brauchte sie Hilfe. Sie hielt Ausschau nach »ihrem Mann«. Bei einer SDS-Versammlung lernte sie Russ kennen. Er sprach mit einer solchen Leidenschaft, und sie beobachtete ganz gebannt, wie er sich immer wieder die langen dunklen Haare aus den Augen schüttelte, wenn er seine politischen Analysen von sich gab. Von Russ lernte Lila einiges über Ungerechtigkeit. Sie hatte in Wirklichkeit noch nicht allzuviel über all diese Dinge nachgedacht. Aber wie sie jetzt sah, wie sich in seinem unrasierten Gesicht die Backenmuskeln vor Wut anspannten, setzte sich bei ihr die unverbrüchliche Überzeugung durch, daß es für sie nur ein »Lebensziel« geben könne: die Unterdrücker zu stürzen – die Rassisten, Kriegstreiber und dicken Kapitalisten. Erst später sollte diese Liste dann auch die *Männer* mit einschließen.

Den Großteil der nächsten fünf Jahre – von '68 bis '73 – widmete sie sich Der Bewegung. So viele Versammlungen, so viele Sit-ins, so viele Märsche. Sie kümmerte sich um ihr Studium an der San Francisco State University – wenn sie nicht gerade mit dafür sorgte, daß sie dichtgemacht wurde. Sie hatte Kurse in Philosophie und Politikwissenschaft belegt. In einem Semester schrieb sie eine lange Arbeit über den italienischen Marxisten Antonio Gramsci – die gerade gut genug war, daß sie ihren Schein bekam, und esoterisch genug, um sich in den nächtlichen Debatten mit den Stalinisten Gehör zu verschaffen, die inzwischen im Begriff waren, beim SDS das Ruder zu übernehmen. Selbst Russ war beeindruckt.

Dann kam Watergate, dann das Ende des Vietnamkrieges, und niemand kam mehr zu den Sitzungen. Die ganze politische Sache verpuffte einfach. Wer dennoch dabeiblieb, rückte vorzugsweise noch weiter nach links, tauchte in den Untergrund ab und lernte, Bomben zu basteln. Aber das war zuviel! So *sicher* war Lila sich ihrer Sache nun auch wieder nicht. Sie ergriff die Flucht, als Russ anfing, in der Küche der Kommune Molotowcocktails zu mixen.

*

Die Lotusblüten-Ranch, eine Kommune, die sich auf der Grundlage friedlicher Prinzipien zusammengefunden hatte, lag etwa zehn Meilen außerhalb von Taos. Dort lernte Lila Philip kennen, einen schmächtigen jungen Mann, der sich dem tibetischen Buddhismus, Yoga und dem organischen Gartenbau verschrieben hatte – wesentlich bessere Hobbys als fanatische Makrobiotik und Molotowcocktails. Lila entdeckte ihre Liebe für die Gartenarbeit. Anfangs hatte sie noch einige Kommunarden kritisiert und ihnen vorgeworfen, was sie machten, sei nichts anderes, als in einen bourgeoisen Subjektivismus zu verfallen, aber schließlich entdeckte auch sie das Meditieren für sich. Es tat so gut, wenn die ganze Kommune schweigend im Kreis zusammensaß. Manchmal hielt man sich an den Händen. Manchmal wurde das Schweigen gebrochen und die Meditationsjurte mit den erstaunlichsten Oms erfüllt, die Sie je gehört haben. Philip verstand sich ganz besonders auf das Intonieren von Obertönen in den Nebenhöhlen. Er brachte ihren Kundalini wirklich auf Trab.

Das Problem, das sie mit dem Buddhismus hatte, war

nun nicht mehr, daß sie in ihm eine Neigung zu bourgeoisem Subjektivismus sah. Das Problem war die Doktrin der Begierdelosigkeit. Denn sie begehrte Philip sehr. Ihr Guru – ein alternder Roshi, der die Ranch mehrmals im Jahr besuchte – war bei einer ihrer wochenlangen Sesshins sogar so weit gegangen, Lila tantrische Häresie vorzuwerfen. Sie arbeitete daran. Sie bemühte sich, ihre Begierden zu überwinden. Sie versuchte, sie zu ignorieren. Sie versuchte, indem sie sich mit doppelter Kraft in die Gartenarbeit stürzte, ihre Begierden zu sublimieren. Dann wurde sie schwanger.

Michael Ashanti Bowman wurde in jenem kalten Winter des Jahres 1975 – draußen tobte ein Schneesturm – geboren. Bowman war Philips Nachname. Ashanti kam von dem Guru. Michael war der Name von Lilas Lieblingsopa. Nach einem langen Krebsleiden starb der alte Michael fast auf die Minute genau in dem Augenblick, in dem der kleine Michael gezeugt wurde. Lila gefiel die Vorstellung, daß die Seele des alten Michael von dem sterbenden Körper unmittelbar zu dem neuen Leben in ihrem Schoß gewandert war.

Lila kümmerte sich voller Liebe um das Baby. Zum erstenmal in ihrem Leben war sie sich ihres »Zieles« absolut sicher. Bei der Frage der Revolution war sie sich letztlich doch nicht sicher genug gewesen, um dann auch Cocktails zu mixen. Und auch mit dem Ziel der spirituellen Erleuchtung hatte sie letztlich ihre Schwierigkeiten und sich nie wirklich ganz darauf eingelassen, wenn es gleichbedeutend damit war, daß sie ihre Begierden aufzugeben hatte. Aber an diesem Ziel, ein perfektes Wesen großzuziehen, an diesem Ziel, das ihr wie von oben gegeben zufiel, gab es nichts zu rütteln. Bei diesem Ziel war sie sich mit einemmal absolut sicher. Hier brauchte man nicht zu debattieren, ob Analysen korrekt waren oder nicht, hier gab es keine paradoxen Koans, die in den Tiefen der Meditation zu entwirren waren, nur die stille Gewißheit, die sie in sich ver spürte, wenn der warme Babymund an ihrer Brust saugte. Sie kostete die süße Frucht des Glücks. Jetzt wußte sie endlich, worum es in ihrem Leben ging: Mutterschaft. Und wie niederschmetternd war dann die Enttäuschung, als sie den Feminismus entdeckte.

Während sie sich um Mikey kümmerte, stöberte sie in einigen Büchern herum, die eine alte Freundin von der San Francisco State University bei ihr liegen lassen hatte. *Das andere Geschlecht* von Simone de Beauvoir traf ihren philosophiegeschulten Geschmack. Sie hatte Sartres späte marxistische Schriften im Zuge ihrer Arbeit über Gramsci studiert, und jede/r Freund/in von Jean-Paul Sartre war ihr/e Freund/in. Aber de Beauvoir, Sartres Lebensgefährtin und Geliebte, war keine Freundin der konventionellen Mutterschaft. Und ihr Buch, das die alte politische Freundin aus der Haight-Zeit heimtückischerweise in Lilas Schlafzimmer deponiert hatte, schlug wie eine Bombe ein und zerstörte Lilas stille Gewißheit, daß die Mutterschaft tatsächlich das A und O ihres Lebens war. Wie hatte sie nur so blind sein können? Wie hatte sie sich in ihrem Lebensziel nur so in die Irre führen lassen können? Hatte sie aus ihrer Beschäftigung mit Marx und Gramsci nichts über falsches Bewußtsein gelernt? Aber es brauchte Simone de Beauvoir, um alles unter der Perspektive des Kampfes zwischen den Geschlechtern zu subsumieren.

Lila drängte nun Philip, daß er den häuslichen Abwasch übernahm. Und dann auch die Windeln. Schon bald wurde die Kampagne eingeläutet, die Hausarbeit fünfzig-fünfzig zu teilen. Übernahm sie nicht auch ihren Teil bei der schweren Gartenarbeit – Mulch schleppen und die Quälerei beim Einbringen der Ernte? Aber wenn Philip sich jetzt hälftig an der Hausarbeit beteiligte, warum sollte dann nicht auch die Erziehung des Kindes geteilt werden? Nachdem Mikey entwöhnt war, gab es kaum noch etwas, was Philip nicht ebenso gut wie Lila machen konnte. Aber machte er es? Natürlich nicht. Und so bewegte sich Lila langsam, aber sicher – zwischen Nachsicht und immer weiteren Vorstößen – zunehmend auf eine militante Position zu. Und entfernte sich immer mehr von der totalen Hingabe an die Mutterschaft. Und von Philip.

*

Weihnachten 1978 fuhr sie über die Feiertage nach Hause, um ihre Mutter und Großmutter in Columbus, Ohio, zu besuchen. Die Großmutter war nach Michaels Tod bei ihrer Tochter eingezogen. Die drei Frauen – achtundzwanzig, sechzig und achtundachtzig – paßten gut zusammen. Lila war überrascht. Aber sie war inzwischen alt genug, um ihren Eltern zu verzeihen, was sie alles falsch gemacht hatten und daß sie ihre Ehe verpfuscht hatten.

Die drei Generationen der Thompson-Frauen entdeckten eine neue Solidarität untereinander. Und nicht zuletzt fand Lila hier wirklich Hilfe bei der Kindererziehung. Sie kehrte nie mehr nach Taos zurück. Sie reichte in Columbus die Scheidung ein, und Philip verzichtete im Tausch dafür, daß er keine Alimente zu zahlen hatte, auf das Sorgerecht. Er hatte sowieso nie Geld.

Geld war allerdings ein Problem für die drei Frauen. Michael hatte nicht viel hinterlassen und auch Lilas Vater nicht. Und Lilas Mutter hatte nach einem Leben als Hausfrau im Mittelwesten kaum vermarktbare Fertigkeiten vorzuweisen. So fiel es sehr schnell Lila zu, das Geld für die Lebensmittel, die anfallenden Arztrechnungen der Großmutter und die Instandhaltung des schon etwas älteren Hauses aufzubringen.

Da sie nun Babysitter hatte, nahm Lila einen Ganztagsjob bei der Bank an, bei der ihr Vater seinen Job am Ende aufgekündigt hatte. Onkel Paul, der frühere Partner ihres Vaters, war noch immer verärgert, daß sein früherer Freund die Familie hatte sitzen lassen. Er wollte helfen. Und überredete Lila, obwohl sie keinerlei Vorkenntnisse

42

hatte, sich für ein Ausbildungsprogramm der Bank als Kassiererin anzumelden.

Wieder zur Schule zu gehen war gar nicht so schlecht, wie Lila erwartet hatte. Es war eine weitestgehend praktische Ausbildung – mit viel Praxis vor Ort, nicht so viel Reden und Schreiben. Sie war viel auf den Beinen und in direktem Kontakt mit anderen, statt allein hinter einem Schreibtisch zu sitzen, und es gefiel ihr. Sie löste gern Probleme, auch wenn es, wie hier, kleine waren. Es machte ihr Spaß, am Ende eines jeden Tages ihre Kasse und ihre Konten abzurechnen. Sie empfand dabei eine Art von Befriedigung, die nie endende Jobs nicht bieten können. Weder die Revolution noch die Erleuchtung werden je wirklich erreicht, und ihre Mutteraufgaben wiederholten sich mit einer so zuverlässigen Absehbarkeit immer und immer wieder, daß sie nie getan und irgendwie abgeschlossen waren. Aber ihre Kassenbücher öffneten und schlossen sich an jedem Tag mit der befriedigenden Gewißheit einer sich fest schließenden Safetür.

✳

Lila gefiel ihr neuer Job zunächst. Aber ein Kassiererinnenleben ist langweilig, sobald man weiß, was zu tun ist. Und durch den unmittelbaren Umgang mit so viel Geld, wenn man selbst davon so wenig mit nach Hause nehmen kann, geriet sie ins Nachdenken. Es mußte einen leichteren Weg geben ... Sie kam nicht auf die Idee zu stehlen. Das verbot ihr allein schon ihr Gerechtigkeitsgefühl. Aber sie hatte nichts dagegen, mit etwas Einfallsreichtum zu erreichen, daß bei alledem etwas mehr für sie abfiel. Die Frage war nur, wie?

1980 schrieb sie sich an der Northwestern University für ein Betriebswirtschaftsstudium ein. Natürlich hatte sie ambivalente Gefühle. Sie hatte all die nächtlichen Debatten und radikalen Analysen nicht vergessen. Aber die Zeiten hatten sich geändert, und sie hatte sich geändert, und Mikey brauchte Kleidung und Karateunterricht und vieles, vieles mehr.

Doch nachdem sie eingestiegen war, war sie erstaunt, wie wenig sie von ihrer Vergangenheit vergessen mußte. Vieles von Gramscis Praxisbegriff war auf das Unternehmertum übertragbar – die Wichtigkeit des Handelns und Experimentierens, die Notwendigkeit, die Theorie im Licht der Praxis zu modifizieren, statt krampfhaft daran festzuhalten, daß jede neue Praxis der alten Theorie anzupassen sei. Und das Marketing, insbesondere die Verkaufsförderung, war nicht sehr viel anders als das Propagieren einer neuen Organisation des Staates. Verkaufen ist Verkaufen, sagte sie sich, ob man nun die Revolution oder Seife verkauft. Einige der intelligentesten Köpfe unter ihren Kommilitonen waren, wie sie schließlich feststellte, auch in Der Bewegung aktiv gewesen. Hatten sie auch heimlich Schuldgefühle, ihr jugendliches Engagement jetzt zu verraten? Oder sahen sie ihr Engagement jetzt in einem neuen Licht? Sie redeten nicht viel darüber. Aber sie machten auch kein Hehl aus ihrer Vergangenheit. Lila schloß sich ihren Kommilitonen an, auf einer Reise, die viele Zwischenstopps hatte. Und sie war sich nicht mehr so sicher, wo diese Reise überhaupt hinging.

An der Northwestern University lernte sie Kim kennen, einen Ex-Radikalen, der daran glaubte, daß es möglich sei, das System für statt gegen uns arbeiten zu lassen. An Kim gab es nichts Schmächtiges. Er war stark und motiviert – ein Energiebündel, das eine Aufgabe suchte. Kim und Lila fingen zunächst an, frühmorgens zusammen zu joggen. Im zweiten Jahr lebten sie zusammen. Als sie beide einen Job als Anlageberater bei der Chase Manhattan Bank in Chicago bekamen, schien ihnen das eine hinreichende Grundlage zu sein, die Beziehung zu besiegeln.

Das Leben war nicht einfach. An den Wochenenden war Lila in Columbus bei Mikey und den Müttern, die Woche über in Chicago bei Jim und der Chase Manhattan. Aber es schien zu gehen. Und es gab jede Menge Arbeit. Sie arbeitete sehr hart, aber es gab auch etwas zurück: Geld, Erfolg, neue Freunde, ein Gefühl der Erregung. Sie und Kim sahen sich im Vorbeigehen in den Hallen der Chase Manhattan und kamen oft erst nach zehn nach Hause, und das völlig erschöpft. Der morgendliche Lauf wich der morgendlichen Liebe. Das Leben war gut. Das Leben war reich. 1987 konnten sie sich eine Wohnung leisten, die groß genug für Mikey und noch ein weiteres Familienmitglied war. Das Kinderzimmer für Tracey war fertig, als Lila am Ostermorgen 1988 aus dem Krankenhaus kam. Mikey erzählte seinen Freunden, was der Osterhase ihm gebracht hatte.

Kim versuchte nun, sich eine Nische im Finanzierungsgeschäft der Unterhaltungsindustrie zu erschließen. Er war kein sonderlich guter Rechner. Er war gut im Verhandeln und Geschäftemachen. 1989 erhielt er das Angebot, bei einer Talentagentur in Hollywood einzusteigen. Sie zogen um. In der Flitter- und Glamourstadt wurde Kims ungebundene Energie noch ungebundener. Und Kim konnte mit dem Aufstieg nicht umgehen. Er entdeckte das Kokain und die Frauen. 1991 ließ er Lila und die Kinder sitzen.

*

Eine Zeile des Songs, den Lila in letzter Zeit sehr oft hört – jetzt von einer CD, ohne alle die alten Kratzer und Sprünge –: »What a long strange trip it's been – Truckin'.« Fünfundvierzig, finanziell recht gut abgesichert, gebildet, zwei Kinder, praktisch wohlsituiert . . . was nun als nächstes? Und warum? Kann sie ein neues »Ziel« finden, das sie dazu bringt, morgens aus dem Bett zu kommen? Braucht sie eines?

Ich sage nein! Sie braucht kein großartiges, leuchtendes »Ziel«, das ihr den Weg in die Zukunft weist. Und sie hat gerade angefangen zu lernen, die Dinge auf sich zukommen zu lassen und zu versuchen, jeweils das Beste daraus zu machen – was eher Leben ist, als ihre Seele in den Dienst irgendeines grandiosen Zweckes – wie Revolution oder Erleuchtung oder auch Kim – zu stellen.

Spike

Spikes Geschichte ist eine ganz andere. Er braucht Ziele. Nicht ein »Ziel«, sondern Ziele, weil er derzeit überhaupt keine hat. Nichts. No future. Und er ist stolz darauf.

Spike wuchs mit Sid Vicious und den Sex Pistols auf. Nicht, daß er etwa schlecht oder böse wäre. Aber die Meinungen, die er über die Zukunft von sich gibt, haben etwas Morbides an sich. Er ist gerade sechsundzwanzig und gehört zu den Schlußlichtern des Babybooms, denen alle Annehmlichkeiten nur so in den Schoß fallen. Er hat eine Vorliebe für Sprüche wie: »Demographie ist Schicksal, und unseres ist beschissen. Worauf soll ich mich freuen? Ich bin ein strebsamer toter weißer Mann.«

Spike hat sich mit einem Leben abgefunden, das sich seiner Kontrolle völlig entzieht. Er hört die Meldungen über die Ölpreise und die Auswirkungen der Wechselkursschwankungen zwischen Yen und Dollar. Er weiß, an diesen Dingen, die sein Leben mitbestimmen, kann er ebensowenig etwas ändern, wie er Einfluß auf den Sonnenfleckenzyklus nehmen kann.

Globale Erwärmung? Cool. Besser, ein einzelnes Streichholz auszublasen, als über die Hitze zu fluchen.

Spike sind Cartoons lieber als die Nachrichten. Cartoons sagen ihm eher, was wirklich in seinem Kopf vorgeht. Sie denken, Erwachsenen-Cartoons seien süß und clever gemacht? Sie denken, mit Rocky und Bullwinkle und den Simpsons und Ren und Stimpy und ihren sinnfälligen Gags und Doppeldeutigkeiten hat die ganze Familie garantiert ihren Spaß? Und was ist mit den Kindern? Wie ist es, lachen zu lernen, *wohlwissend,* daß man den ganzen Witz nicht verstanden hat?

Was lernt der kleine Spike, wenn Bart Simpsons kleine Schwester *böse* wird? Und wenn ein Erwachsener sie dann unbedarft fragt: »Wogegen rebellierst du denn?« Und sie antwortet: »Haste was?«

Wenn Ihnen der Großteil Ihrer lebendigen Erfahrungen durch die Medien vermittelt wird, finden Sie Geschmack an der Unmittelbarkeit: Filme in Rohfassung, unanalysiert, ohne Farbfilter und Kommentar, ohne Effekthascherei. Aber die Medien bringen nichts roh. Sie bestehen darauf zu vermitteln: Zensur für das Familienprogramm und Effekte bei den Nachrichten, um dem Ganzen eine Bedeutung zu geben. Die Kehrseite roher Erfahrung ist, daß sie bedeutungslos ist und ihr der Sinn fehlt. Wenn Sie die Vermittlung wegnehmen, nehmen Sie auch den Sinn weg. Sie haben die Wahl: Sinnlosigkeit oder die Vermittlung der Effektspezialisten.

Spike und seine Freunde wählen beides. Wen kümmert, was folgerichtig ist? Sie haben eine Vorliebe für rohe Erfahrungen und weiden sich daran. Sie beten die heilige Dreieinigkeit an: Sex, Drogen und Rock 'n' Roll. Aber wirklich bedeutungsvolle Momente lassen sie nur gelegentlich und oberflächlich zu. Sie schicken sich gerne gegenseitig Hallmark-Karten mit vorgefertigten innigen Botschaften, die zwischen spanischem Flieder und Schwertlilien prangen.

Ironie macht Spaß, aber Zyniker sind für Spike und seine Freunde dann auch schon wieder langweilig. Zynismus ist so vorhersehbar. In der Tiefe seines Herzens weiß Spike, daß er fromme Sprüche und Scheinheiligkeit so sehr ablehnt, weil er irgendwo und irgendwie erfahren hat, wie es ist, wenn man authentisch ist. Er weiß nur nicht mehr genau, wo oder wie.

Moral ist etwas Reales für Spike, aber es gibt sie nur auf einem anderen Planeten – oder an Orten mit Namen wie

Danzig und Prag, unter Menschen mit Namen wie Lech oder Václav. In der Mall sieht er für die Moral nur wenig Chancen.

Spike weiß, daß es etwas Besseres als ein Leben in der Mall gibt, aber er hat seinen Stadtplan verloren. Er findet den Weg, der hinausführt, nicht. Er kann nicht einmal den roten Punkt finden, der sagt: »Hier bist du.«

*

Das Großartige an Drogen ist, daß sie die Langeweile durchbrechen. Was bedeutet schon, den Sender zu wechseln! Was ist schon Technicolor! Wir reden über Neonträume. Aber der Körper leidet. Folglich arbeitet Spike hart daran, ihn möglichst zusammenzuhalten. Er muß etwas für seinen Bizeps tun. Er nimmt Vitamine. Von Steroiden läßt er die Finger. Sein Körper ist das nächste, was er jemals als so etwas wie eine sichere Umwelt begreifen wird.

Was seinen Horror vor AIDS ausmacht, ist nicht, daß irgendein bösartiger Erreger in die Festung seines Körpers eindringen könnte, sondern die Vorstellung, seine Armee von Wächtern könnte einfach die Waffen strecken, so daß jede noch so jämmerliche Krankheit – eine banale Erkältung – ihn dahinraffen kann. Es ist der Horror der Wehrlosigkeit. Ein Körper braucht heute *mehr* und nicht weniger Abwehrkräfte als üblich.

Der Körper ist real. Anders als eine Reihe von Nullachtfünfzehn-Jobs, die nichts bringen und nirgends hinführen, ist der Körper kumulativ. Der Körper hat ein Gedächtnis und vielleicht sogar eine Zukunft. Sei nett zu deinem Körper, sagt Spike. Er ist vielleicht dein treuester Freund. Er verrät dich nicht und läßt dich nicht im Stich, zumindest nicht, bis er alt wird. Pflege deinen Körper. Hüte dich, ihn mit dem Fleisch toter Tiere zu füllen. Iß Ballaststoffe. Tu was für deine Fitneß. Spike steht auf Bodybuilding. Die

48

Eisengewichte zu stemmen, hat etwas so Direktes. Es ist wie ein roter Punkt. Du weißt, du bist hier. Du kannst das *Dort* und die Tatsache vergessen, daß du keine Karte hast, die dir zeigt, wie du von hier nach dort kommst.

Wann immer Spike, was recht oft der Fall ist, Zweifel kommen, wo eigentlich sein Platz im Kosmos ist, bleibt ihm, daß er vor seinem Spiegel trainieren kann. Sieh dir diese Bauchmuskeln an! Diese anschwellenden Muskelpakete! Und *fühle* die Anstrengung. Hier hat er wenigstens einmal eine klare und offensichtliche Verbindung zwischen dem, was er innerlich fühlt, und dem, was er äußerlich sieht.

Lange ehe er entdeckte, daß Narzißmus Sünde war, hatte er sich in sein Bild im »Fitneß«-Spiegel verliebt. Er hatte sich mit einer Arglosigkeit in sein Muskelspiel vernarrt, daß er nie auf den Gedanken gekommen wäre, daran etwas Schlechtes zu finden, bis er dann mitbekam, wie einige Bodybuilder sich eines nachmittags über eine Talkshow in die Wolle gerieten. Klar war demnach, daß die Mütter Amerikas die Jungs und ihr Spiel mit den Muskeln liebten. Aber es gefiel ihnen nicht, daß Jungs selbst ihr Muskelspiel liebten. Und so fingen einige Mütter an, über Narzißmus zu reden, und Spike lernte ein neues Wort. Er schlug es im Wörterbuch nach: »in der Psychoanalyse eine abnormale Liebe und Bewunderung der eigenen Person.«

Ein kurzer stechender Schmerz des Erkennens durchzuckte ihn. »Oh, ah. ›In der *Psychoanalyse*‹, was?« Und schon bald schnappte er auch anderweitig Hinweise über die gefürchtete Krankheit auf. Eines abends lernte er auf einer Party eine nette junge Frau kennen. Er konnte sie bewegen, ihn auf seiner Bude zu besuchen und die Freuden der wahren Lust mit ihm zu genießen, nur um sich dann, als sie einmal kurz hochkam, um Luft zu holen, von ihr anhören zu müssen: »Sieh dir diese ganzen Spiegel an. Du mußt irgendwie ein Narzißt sein!« Das war alles, was sie zu sagen hatte. Und mit einemmal machten seine Spiegel ihm nicht einmal annähernd mehr so viel Spaß. Was passiert, wenn sich mitten im Zauber der Selbstliebe die Impotenz meldet?

*

Liebe? Spikes Eltern lassen einen weder an Neid noch an Nachahmung denken. Spike spürt den Trieb. Der sexuelle Apparat funktioniert. Seine Hormone sind intakt. Aber die Songs, die ihm aus den entscheidenden Entwicklungsjahren in Erinnerung sind, tragen Titel wie: »Love Hurts« und »Total Eclipse of the Heart«.

Genau wie die Moral, meint Spike, ist auch die Liebe nur für Wesen eines anderen Planeten real. Was ihn angeht, so ist er wirklich gut im Masturbieren. Er ist immun gegen die Einsamkeit, wie er glaubt. Im Zweifel gibt es immer das Fernsehen, und es sollen sogar noch mehr Sender kommen, von denen einige, wie es heißt, sogar *interaktiv* sein sollen. Und die virtuelle Liebe ist, irgendwie, genügend real für Spike.

Ruhm? Spike meint, daß er seine fünfzehn Minuten früher oder später schon bekommen wird. Vielleicht wird er sogar das Glück haben, am Schauplatz einer Katastrophe interviewt zu werden.

Freunde? O ja. Freundschaft ist sehr real. Wenn die Familien ein Witz sind, die Arbeit beschissen ist, die Liebe verletzt, dann zählt Freundschaft. Spike und seine Freunde sind Freunde fürs Leben. Aber das Leben ist, irgendwie, kurz.

Ältere Menschen mögen es nicht, daß Spike und seine Freunde ihre Sprüche mit dem Wort »irgendwie« würzen. Warum machen sie das? Fragt man sie danach, dann sagen sie: »Es ist, irgendwie, wissen Sie . . .« Und wir, die wir noch einen Wortschatz haben, *sollten* wissen: daß es in ihrer Welt einfach nichts gibt, was *ist*, was es ist. Alles, was jetzt ist, ist *wie* etwas anderes. Die Sprache kann nicht mehr einfach nur benennen oder beschreiben. Angesichts einer surreal gewordenen Realität kann die Sprache sich nur noch indirekt an die Dinge heranschleichen. Wenn der Surrealist André Breton recht hat, wenn er sagt:»Die Existenz ist anderswo«, dann bleibt den Kids *hier* nichts weiter, als darüber zu reden, *wie* die Dinge sind.[9]

*

Wie so viele Handys ist auch die Realität inzwischen unangebunden. Bei einem Multiple-choice-Quiz über die Bedeutung des Wortes»Anchor« werden die Kids nicht auf die Möglichkeit,»Festmachen eines Boots«, sondern auf »größter Laden in der Mall« tippen. Und wenn Wittgenstein recht hat, daß die Bedeutung eines Wortes seine *Verwendung* ist, dann haben sie natürlich recht und wir unrecht, wenn wir ihnen dafür Punkte abziehen. Sind die Kids dumm und ignorant, was *die* Welt angeht, oder haben diejenigen, die die Tests erstellen, einfach keine Ahnung von der Welt derjenigen, die die Tests absolvieren?

Spike kennt in seinem jugendeigenen Jargon Wörter, die für seine Eltern eine Fremdsprache sind, Wörter wie»kevlar« und»tunage«, und ein Vokabular voller Bindestriche – »hard-drive«,»value-added«,»fast-forward« –, die in früheren Generationen unbekannt waren.

Ist es also ein Wunder, daß er blind gegenüber den Zielen der Alten Welt ist? Sicher, er möchte reich sein. Armut ist beschissen, und sie ist auch nicht im mindesten cool. Aber Spike weiß, daß mit einem Collegeabschluß und harter Arbeit das große Los nicht zu gewinnen ist. Keine Reifen und Latten für Spike. Wenn er eines weiß, dann, daß er mit seinem Sinn für Humor und den richtigen Freunden viel weiterkommen wird als mit allem, was er in der Schule lernen kann.

*

Spike wird vielleicht nicht einsam, aber geil. Von Zeit zu Zeit brechen seine animalischen Anteile bei ihm durch, und er wird fast verrückt vor Begierde. Dann geht er an den Strand und fischt nach Fleisch, vorzugsweise solchem, das Wörter wie »narzißtisch« nicht kennt. Sein Geschmack hat sich neuerdings auf Teenies verlagert – seine Freunde ziehen ihn damit auf.

»Stramm, ja, aber unverdient. Was wir mit Schweiß erreichen, haben sie allein ihrer nackten Jugend zu verdanken«, sagt Spikes Freund Alan abschätzig zu Spikes letzter Eroberung. »Klar, Cindy himmelt dich an. Und der BMW ihrer Mutter *hat* einen phantastischen Sound. Aber, Spike, Mann, reicht denn der Gesprächsstoff wenigstens bis zum Dessert? Ich meine . . .«

Spike geht in Verteidigungsposition und baut sich als Beschützer auf: von Cindy? Oder seinem eigenen Geschmack? Er weiß es nicht so genau. Aber durch Alans Herausforderung empfindet er mit einemmal eine Zärtlichkeit für Cindy, die ansonsten vielleicht so nicht dagewesen wäre. »Sie ist . . . süß«, das ist alles, was er sagt, und damit sieht er sie auch so.

Am selben Abend kommen ihm dann auch tatsächlich moralische Skrupel, ehe er mit ihr ins Bett geht – und sie schließlich defloriert. Schon erstaunlich. Wer hätte das gedacht? Mit achtzehn . . . Sie hätte es ihm *sagen* sollen, statt das Blut sprechen zu lassen. Wozu hat der liebe Gott im Himmel schließlich die Wörter erfunden? Er mußte sie wirklich *fragen*, ob sie ihre Periode hat, und sie mußte es ihm dann wirklich erklären. Die Wirklichkeit ist so surreal.

Das Reale, das Surreale, das Tatsächliche – haben die Philosophen in ihren düsteren Ontologien überhaupt Platz für diese subtilen Abstufungen? Spike kennt keine Wörter wie »Ontologie«, die Lehre vom Sein. Aber er kann eine Rolex-Imitation durch ein festes Händeschütteln erkennen. Er hat ein scharfes Auge für alles, was unecht ist. Und in diesem Sinne ist er, ob er etwas über Ontologie weiß oder nicht, ein Kenner von Stufen des Seins. »Und was machen wir jetzt?« fragte sie. »Heiraten?« Während drei Nanosekunden der Zärtlichkeit war Spikes Gefühl, ja. Aber dann hatte er sich wieder eingekriegt und lachte. So daß sie natürlich weinte. »Was wir machen? Wir machen einfach so weiter wie bisher. Du bist zu jung, um zu heiraten. Ich möchte dich vielleicht, aber ich habe keine Ahnung, was ich mit meinem Leben machen möchte und, offen gesagt, ich möchte nicht einmal darüber nachdenken. Hör also mit dem Heiratsgerede auf. Hier, komm, ich trockne dir die Tränen«, sagte er und tupfte ihr mit seinem Pearl-Jam-T-Shirt die Wangen ab.

»Aber ich habe es aufgehoben für ...«

»Hergott, von welchem Planeten kommst du? Aus welchem Jahrhundert? Willst du etwa versuchen, mich über den Schuldtrip in die Ehe zu lotsen, nur weil es dein Ding war, mit der Jungfräulichkeitsgeschichte bis heute zu warten?«

Mehr Tränen.

»Tut mir leid. Verdammt. Ich schätze, ich bin ein richtiges Arschloch«, und er fing an, sie schmusend einzulullen, so daß sie sich der Situation ergab. Es war jedoch ermüdend für ihn, sie zu trösten, es ging ihm wie einem Vater, der beim Zubettbringen seines Kindes einschläft. Für Spike ist Verantwortung so anstrengend.

Manchmal leidet er unter einer schweren Lethargie. Dann steigt die Weigerung zu arbeiten praktisch von den Zehenspitzen in ihm auf, als wenn alle Neuronen seines Nervensystems in einen wilden Streik getreten wären. Die Couch zieht ihn in die Kissen zurück. Das Bett schreit nach Gesellschaft. Es ist nicht der Schlaf, der lockt, sondern die Trägheit, eine so tiefe Erstarrung, daß nur ein Feueralarm ihn aus dem Bett holen könnte.

Und manchmal gibt es Aufgaben, mitunter sehr kleine,

die ihn stundenlang beschäftigen und verhindern, daß er irgend etwas anderes schafft. Sie stellen sich ihm wie winzige Mäuse, die einen Elefanten in Schach halten, in den Weg.

*

Spike und Lila leben außerhalb der jeweils entgegengesetzten Grenzen der kunstvollen »Ziellosigkeit«. Lila lebt den Großteil ihres Lebens mit einem »Ziel« vor Augen: erst die soziale Gerechtigkeit, dann die spirituelle Erleuchtung, dann Liebe und Mutterschaft, dann das Geld. Wenn sie nicht eines dieser gewaltigen »Ziele« vor Augen hat, weiß sie nicht, wie sie ihre Tage überstehen soll. Sie braucht eine Karte und ein Ziel. Ohne Karte wird sie depressiv und landet auf Dr. Wassersteins Couch.

Spike lebt ohne Karte, aber auch unkünstlerisch. Angeknackst durch Hoffnungslosigkeit hat er sich in die naziſtische Grotte zurückgezogen, in die narziſtische Grotte des Selbst ohne andere, der Gegenwart ohne Zukunft, des Hier ohne Dort. Wenn Lila ihre hehren Ziele, die *dort* sind, einschränken muß, dann muß Spike seinen Horizont über jenen roten Punkt hinaus erweitern, der das *Hier* anzeigt.

Aber wie könnte man Spike dazu bewegen, über das *Hier* hinauszugehen, ohne ihm irgendeine erschwindelte Geschichte über ein »Ziel« zu erzählen, die er sowieso niemandem abkaufen würde? Und wie könnte man Lila davon überzeugen, daß sie kein großes Ziel braucht, das ihr den Weg nach *dort* leuchtet?

Tauschen von Zielen

Man hat nur spät den Mut zu Dem, was man eigentlich weiß ... Wenn man einem Ziele entgegengeht, so scheint es unmöglich, daß › DIE Ziellosigkeit an sich ‹ unser Glaubenssatz ist.

Friedrich Nietzsche, *Der Wille zur Macht*[10]

Kapitel 3

Einige lichte, strahlende Momente lang sah es Ende der Sechziger so aus, als könnte das Ziel der Freiheit mit einem Schlag erreicht werden, die Befreiung von dem repressiven Gewicht der Tradition, und das ein für alle Mal. Ein weiterer Marsch nach Washington, und der Friede wäre da – das war zumindest die Hoffnung oder das Wunschdenken von Lila und ihren Genossinnen und Genossen. Eine weitere Demonstration, und Mittelamerika würde es wie Schuppen von den Augen fallen. Bald würde das erreicht sein, was wir Die Transformation nannten, und wir würden Hand in Hand zu Grateful Dead tanzen. Aber die Revolution kam nicht. 1968 in Paris war nicht wie 1917. Die politische Macht ging nicht in andere Hände über. Die Transformation änderte einige – aber nicht sehr viele – Herzen und Köpfe.

In diesem Kapitel möchte ich auf die Aufeinanderfolge der Ziele eingehen, von denen viele meiner Zeitgenossen und -genossinnen in den letzten Jahrzehnten besessen waren. Genau wie Lila haben viele von uns die politischen Bestrebungen in den Sechzigern, den spirituellen Eifer in den Siebzigern und schließlich den finanziellen Ehrgeiz in den Achtzigern durchgemacht. Jährliche Erhebungen unter den Erstsemestern am College zeigen einen dramatischen Wandel der Einstellungen. 1967 gingen 84 Prozent aufs College, »um eine sinnvolle Lebensphilosophie zu gewinnen«, zwei Jahrzehnte später geben nur noch 44 Prozent dieses Ziel an. Unterdessen ist der Prozentsatz derjenigen, die sich vom Collegebesuch versprechen, am Ende »finanziell sehr gut dazustehen«, von 44 Prozent im Jahre 1967 auf 75 Prozent im Jahr 1990 gestiegen.[11]

Wir hatten gute Gründe, diese Ziele zu verfolgen, von denen einige wirklich großartig waren. Aber wir haben nicht immer gemerkt, wie *wir ein Ziel durch ein anderes ersetzt haben, um unserem Leben einen Sinn zu geben* – und daß der *Sinn*, das Gefühl von einem Zweck, wichtiger war als die Ziele selbst. Und wir haben auch nicht immer gemerkt – zumindest ich nicht –, wie sich unser Leben veränderte, wenn wir unsere Aufmerksamkeit von einem Ziel zum anderen verlagerten. Was für uns zum Universum gehörte und unser Gefühl von dem, was zählte, *veränderten* sich im Zuge des Ersetzens von einem Ziel durch das andere.

Nachdem ich auf die aufeinanderfolgenden Ziele eingegangen bin, nach denen wir gegriffen haben, um unserem Leben einen Sinn zu geben, werde ich die Aufeinanderfolge der entsprechenden Beschäftigungen hinterfragen, um den Unterschied zwischen dem zu zeigen, was *damals* zählte und was *jetzt* zählt.

*

Ich erinnere mich noch, wie ich bei den Luftschutzübungen in den Fünfzigern unter meinem Schreibtisch kauerte, aber ich empfand die Bedrohung nicht als real, bis die Sowjetunion bei der Raumfahrt die Führung übernahm. Als bekannt wurde, daß die Russen einen Satelliten in den Weltraum geschossen hatten, erschauerte Amerika. Der Sputnik machte den Eltern im ganzen Land angst. Und plötzlich hatte Amerika ein Ziel: die Russen zu schlagen. Bis Ende der Sechziger sollte der erste Mann auf dem Mond sein.

Der Zweck des Apollo-Projektes bestach durch seine bewundernswerte Präzision – die seinem Namensvetter, dem griechischen Gott der Klarheit und des Lichtes und der eindeutigen Grenzen gerecht wurde. Ein Mann auf dem Mond war das Ziel, und Wissenschaft und Technologie waren die Mittel. In den fünfziger und Anfang der sechziger Jahre hatte mein Leben als Student einen glänzenden Zweck, und die Mittel, die notwendig waren, um das Ziel zu erreichen, schienen naheliegend zu sein.

Inspiriert durch das Ziel, den Wettlauf im All zu gewinnen, und das Gefühl, daß Wissenschaft und Technik die Werkzeuge liefern konnten, entschloß ich mich dazu, Mathematik und Physik zu studieren. Obwohl ich von Exeter geflogen war, nahm das Williams College mich an, wohl weil mein Vater und mein Onkel dort studiert hatten. Dort lernte ich Schrödingers Wellengleichung, eine einzelne Gleichung, die die Energie jedes einzelnen Teilchens im Universum beschreibt. Schrödingers Wellengleichung schien den Schlüssel zum Universum zu enthalten. Sie war für mich das »Ziel« meines Physikstudiums, der Heilige Gral meines Strebens. Ich glaubte, wenn ich erst einmal Schrödingers Wellengleichung verstanden hätte, würden sich mir alle Geheimnisse des Universums offenbaren. Ich würde eine Klarheit erreichen, die keine Zweifel über die grundlegende Natur der Realität mehr zulassen würde. Wenn letztlich alles aus Atomen bestand und man das Gesetz verstand, das das Verhalten der Atome bestimmte, dann müßte man doch den Schlüssel zu allem haben. Richtig?

Falsch. Ich hatte noch nicht Irving Copis *Einführung in die Logik* gelesen und erkannte die »Fehlschlüsse« und »Paradoxa« des abgeleiteten Gebots« nicht. Aus der Tatsache, daß jedes kleine Teil in Ihrem Gepäck leicht ist, folgt nicht, daß Ihr Gepäck leicht ist. Ebensowenig ist aus der Tatsache, daß Ihr Gepäck schwer ist, zu folgern, daß alles in Ihrem Gepäck schwer ist.

Ich hatte die Bedeutung der Regeln nicht begriffen, nach denen ein Gesetz legitim angewendet werden kann – was Wissenschaftler als seine *Grenzbedingungen* bezeichnen. Nur weil alle Spieler samt Ball dem Gesetz der Schwerkraft unterliegen, können die Baseballregeln noch lange nicht vom Gesetz der Schwerkraft abgeleitet werden. Bei meinem Bemühen, die am breitesten anwendbaren, allgemeinsten Gesetze zu beherrschen, die die Bewegung der Materie im Raum und in der Zeit bestimmen, vernachlässigte ich die Bedeutung des Spezifischen. Ich ignorierte die besonderen Grenzbedingungen, unter denen Schrödingers Wellengleichung oder Newtons Gesetze in spezifischen Situationen angewendet werden können.

Es war ein Schock für mich, daß ich, selbst als ich Schrödingers Wellengleichung beherrschte, immer noch Probleme mit meinem Liebesleben hatte! Ich verstand nicht, daß meine neuerworbene Fähigkeit, die Position eines Subatomteilchens vorherzusagen, nichts zählte, wenn es darum ging, das Verhalten der Studentinnen am Bennington College vorherzusagen, das in Vermont nur ein Stück weit die Straße hoch lag. Meinem Lebensziel wäre ich mit einem Strauß Blumen näher gekommen. Aber ich war blind für die Nützlichkeit solch augenscheinlich nutzloser Blüten.

In meinem Bestreben, meine Teenagerumwelt zu beherrschen, hatte ich mich in einen Materialismus verrannt, als wäre das Leben ein großes Billardspiel, seine Herausforderung eine Sache der Berechnung »der Winkel« und das Handeln die Frage, mit dem Billardstock das richtige Kräfteverhältnis und die Richtung auszutarieren. Als Student in den fünfziger und Anfang der sechziger Jahre war es für mich logisch, mir die Beherrschung der Materie als Ziel zu setzen. Aber Metallbiegen und Massenproduktion treten jetzt, in der postindustriellen Wirtschaft, was die Bedeutung für die Wertschöpfung angeht, hinter die Informatik und Dienstleistungen zurück. Und die Informatik folgt keiner Werkzeugbaulogik von Kräften und Auswirkungen oder Gewichten und Formen. Der digitale Tanz der Einsen und Nullen findet im vergeistigten Bereich der Booleschen Algebra und nicht im physikalischen Bereich der Substanzen, Ursachen und Effekte statt.

*

Nachdem sich meine allgemeine Enttäuschung über Schrödingers Wellengleichung gelegt hatte, setzte sich bei mir nach und nach die Erkenntnis durch, daß es mir in erster Linie gar nicht um die *Physik* gegangen war. Was mich umtrieb, war die *Metaphysik.* In meinem gottlosen Glauben an den Materialismus war ich der Überzeugung, daß ein Verständnis der physikalischen Gesetze, die die Bewegung der Materie in Raum und Zeit bestimmten, das probate Mittel für die Erreichung des »Zieles« sei, die ultimativen Wahrheiten des Universums zu ergründen.

Ich war weder der erste noch der letzte, der in der Physik Antworten auf die Frage des Menschseins suchte. Die ganze Tradition der Materialisten beruht auf dem Glauben, daß man in gewissem Sinne alles versteht, wenn man die Materie versteht. Aber in welchem Sinne? Das ist eine Frage der Philosophie. Der Wissenschaftstheorie, vielleicht, aber vor allem der Philosophie.

So setzte sich bei mir mit achtzehn Jahren die Erkenntnis durch, daß ich das *falsche Ziel* verfolgt hatte. Statt mit Physik beschäftigte ich mich nun also in der Hauptsache mit der Philosophie des Materialismus. Damals sah ich Materialismus noch nicht unter dem Aspekt der Konsumentenlust. Ebensowenig wußte ich über den Materialismus als Grundlage der marxistischen Philosophie. Aber ich wußte, ich wollte die Dunkelheit des Mysteriums in das Licht lösbarer Probleme verwandeln. Ich dachte, es wäre möglich, alle ungenauen Wissenschaften auf die Präzision und Exaktheit der Mathematik und Physik zu bringen. Um jedoch prüfen zu können, ob diese Zurückführung auf feste Grundlagen möglich war, mußte ich mich nicht nur mit Physik und Mathematik, sondern auch mit Philosophie beschäftigen.

So geht's. Die Antwort auf eine Frage führt zur nächsten. Das »Ziel«, etwas letztlich zu verstehen, rückt in immer weitere Ferne, je mehr man die Unzulänglichkeit des eigenen Verständnisses begreift. Ein Schritt vor, zwei

Schritte zurück, auf einem physikalischen Weg, der wie eine Sackgasse einfach ein Ende haben mußte. Aber solange ich die Sicherheit eines physikalischen Weges hatte, wollte ich um jeden Preis weitergehen. Und wenn die Philosophie der nächste Schritt sein sollte, sei's drum. Also studierte ich Philosophie im Hauptfach.

*

Ich tauschte also das »Ziel«, die Materie zu beherrschen, gegen das Streben nach Weisheit. Aber wo war Weisheit zu finden? Die Philosophie ist nicht so geradlinig wie andere Disziplinen. Die Philosophie macht keine Fortschritte. Wir lesen immer noch Platon und Aristoteles. Anders als die Physik ist die Philosophie nicht kumulativ. Die Geschichte der Philosophie präsentiert uns kein Verzeichnis über die einzelnen Errungenschaften. Die Weisheit scheint vielmehr in unserem Jahrhundert ebenso schwer faßbar wie in anderen Jahrhunderten zu sein. Aber das wußte ich nicht, als ich daranging, die Philosophie zu »meistern«. So schrieb ich mich noch in ein weiteres Curriculum ein, in der Hoffnung, ich könnte einen Kursus auf den anderen stapeln und so dem »Ziel« der Weisheit näherkommen.

Nach dem College belegte ich noch einige Jahre Kurse an der Graduate School, so daß ich schließlich auf dem geraden und schmalen Weg zum Dr. phil. an der Yale University war. Insbesondere war es mir ein Anliegen, Hegel besser zu verstehen, als es über eine englische Übersetzung möglich war. Ich wollte in die Tiefen des Hegelschen Systems eintauchen, es mir voll und ganz einverleiben, statt nur stückchenweise – wie so viele amerikanische Gelehrte – etwas aufzupicken. Also machte ich mich auf nach Deutschland. Diese Wahl war bedeutsam, denn wenn es ein Volk gibt, das imstande ist, ein Ziel zu verfolgen, dann mit Sicherheit dieses, das sich »die Endlösung« auf die Fahnen geschrieben hatte.

Nachdem ich einige Monate aus den Vereinigten Staaten weg war, merkte ich, wie ich mich langsam in das deutsche Volk verliebte. Mir gefiel das gesunde, gute Aussehen der Deutschen und ihre Zielstrebigkeit. Im Vergleich zu dem Ernst, mit dem sie ihre Ziele verfolgten, erschienen mir meine Landsleute geradezu leichtfertig. Und dann dämmerte es mir eines Tages: Wäre ich in den dreißiger Jahren mit demselben Ziel nach Deutschland gekommen, wäre ich vielleicht ein erstklassiger Kandidat für das totale und fanatische Engagement zugunsten des Ziels des Tausendjährigen Reiches geworden. »Die Endlösung« war der Zweck, der alle Mittel heiligte – ein »Ziel«, das vermeintlich alle Greuel rechtfertigte, die in seinem Namen begangen wurden. Da war ich nun, im Schatten von Heidegger, dem hochintelligenten Philosophen, dessen teutonische Stärke sich über sein menschliches Anstandsgefühl bis zu dem Punkt hinwegsetzte, daß er Hitler unterstützte. Hätte ich in den dreißiger Jahren zu seinen Füßen gesessen, hätten mein Respekt und mein Engagement mich vielleicht in die Hitlerjugend geführt.[12]

Diese Erkenntnis erschütterte mich bis ins Mark. Was als Tugenden erschienen war – harte Arbeit, totale Hingabe, aufgeschobene Befriedigung –, konnte sich so leicht ins Böse verkehren. Was so fraglos gut erschienen war – das bescheidene Ziel, Deutsch zu lernen, um die deutsche Philosophie zu beherrschen –, hätte sich in einen teuflischen Dienst verkehren können, wäre ich zur falschen Zeit gekommen. Dieses Gefühl von meiner eigenen Fehlbarkeit brachte mich ins Schleudern, was die akademische Philosophie anging. Ich wurde skeptisch, ob es mir wohl jemals möglich sein würde, auf philosophischem Wege die Lebensformel zu finden. Und dennoch schaffte ich es nicht, das »Ziel« der Weisheit aufzugeben, ohne in eine schlimme Depression zu fallen.

Ich erinnere mich an Tage, an denen ich meinen Tisch in der Bibliothek verließ, durch die Straßen Freiburgs wanderte und den Himmel wegen seiner langweiligen Bläue verfluchte. Meine Verzweiflung fand ein Ventil in stundenlangem Flippern. Was war das Faszinierende an diesem Spiel? Wie konnte ein graduierter Student mit nur wenig Geld so viel Geld für dieses verrückte Spiel verplempern, wenn er eigentlich zu arbeiten hatte? Es waren mit Schuldgefühlen beladene Vergnügungen. Und wo lag die Quelle des Vergnügens? Daß in der Wunde meiner Schuldgefühle gerührt wurde? Oder war die Wahl dieses »sündigen« Spiels in gewisser Weise angemessen? War die Newtonsche Präzision des Flipperspiels nicht ein perfekter Nachfolger des Billardtisches? Flipper lassen eine Art von Nostalgie für das Industriezeitalter aufkommen. Ist das die Quelle für die Faszination, die Millionen von Japanern wie gebannt in den Pachinko-Spielhöllen hält? Liegt die Quelle der Popularität, die diese japanischen Flipperspiele genießen, in einer ähnlichen Nostalgie für die physikalische Präzision, eine Nostalgie, die angesichts der verwirrenden Welt aufkommt, in der wir leben?

Flipperspieler sehen, wie der Kampf zwischen Möglichkeit und Notwendigkeit vor ihren Augen ausgetragen wird: der unerbittliche Zug der Schwerkraft, die Präzision der kleinen Kugeln, die in stochastischem Tanz im Labyrinth der Kupferstifte gefangen sind, die vorhersehbaren Winkel, die die Stahlkugeln abprallen lassen, die Chance für den menschlichen Willen und das menschliche Geschick bei der Betätigung des Flippers, ehe die Kugel verschwindet und das Spiel beendet ist. War die psychologische Befriedigung bei diesen Spielen, die alle ein Ende haben, in gewisser Weise mit Lilas Befriedigung verwandt, wenn sie bei der Bank am Ende des Tages ihre Kassenbücher mit der Endgültigkeit einer zufallenden Safetür schließen konnte? Ich weiß nur, daß ich in meiner Depression eine Verbindung zwischen meiner Auseinandersetzung mit dem Faschismus und des so mit Schuldgefühlen beladenen Vergnügens empfand, dem ich hier nachging.

*

Wir geben unsere hohen Ziele nicht so leicht auf. Genau wie Lila nutzen wir sie als Bollwerk gegen die Depression. Ist die Gegenwart nicht so, wie wir sie uns wünschen, können wir den heutigen Schmerz noch immer als notwendigen Schritt auf dem Weg zur Freude von morgen sehen. Nehmen Sie sich die Aussicht auf die Belohnung von morgen, wird das Opfer von heute sinnlos. Der heutige Schmerz ist erträglich, wenn er irgendein Versprechen auf ein besseres Morgen enthält, wenn er irgendeinen *Sinn* hat. Aber sobald dieses Versprechen gebrochen oder genommen wird, ist der Schmerz von heute sinnlos ... und die Depression beginnt. Das erträgliche Leiden weicht der unerträglichen Verzweiflung. Mein einziger Trost war eine Philosophie, die einen Text über Depressionen zu bieten hatte. So las ich sehr viel Nietzsche und entdeckte die Zeilen, die diesem Kapitel als Epigramm vorangestellt sind: »Man hat nur spät den Mut zu Dem, was man eigentlich weiß ... Wenn man einem Ziele entgegengeht, so scheint es unmöglich, daß ›DIE Ziellosigkeit an sich‹ unser Glaubensgrundsatz ist.«[13]

*

Nachdem ich meine Dissertation in Deutschland abgeschlossen hatte, gab ich, zurück an der Yale University, Seminare über Nietzsche. Aber nachdem ich wieder in den Vereinigten Staaten war, lehrte ich Nietzsches ziellosen Nihilismus nicht nur, ich lebte ihn ... fast. Ich schloß mich einer Kommune an, wie diese Gemeinschaften später genannt wurden. Ich beging alle möglichen Dummheiten, die das stillschweigende Ziel, eine feste akademische Anstellung zu bekommen, torpedierten. Und ich hatte schon fast den Eindruck, daß die Ziele meiner Zeitgenossen mir nicht reichten, um mich in meinem Leben getragen zu fühlen.

Doch obwohl ich mein Bestes tat, ich konnte das düstere Verhalten, das bezeichnend für den europäischen Nihilisten ist, nicht aufrechterhalten. Ich konnte mich schwarz kleiden, aber eine philosophisch achtbare Depression konnte ich nicht aufrechterhalten. Hinter meiner zerfurchten Miene brach immer wieder ein Lächeln durch. War ich für den europäischen Nihilismus nicht tiefgründig genug?

Vielleicht waren es die Zeiten, die späten Sechziger, jene berauschenden Tage, in denen es nicht nur möglich, sondern auch notwendig erschien, unsere europäische Vergangenheit abzuschütteln. Die Apokalypse gab es um die Ecke. Das Living Theatre kam nach New Haven, um *Apocalypse Now* aufzuführen. Sie brachen Tabus der Schicklichkeit. Sie kamen nackt auf die Bühne. Sie machten einen Aufstand um die Freiheit, und mit einemmal waren all die alten Regeln in Gefahr.

Als die Black Panther im Frühjahr 1970 nach New Haven kamen, um Bobby Seale aus dem Gefängnis zu holen, und Nixon Truppen nach Kambodscha schickte, wurde in Yale gestreikt. Als am Kent State vier Studenten erschossen wurden, rief der Bürgermeister New Havens die National Guard zu Hilfe. Es bestand nach meinem Eindruck ernstlich die Gefahr, daß es innerhalb der efeuumrankten Mauern zu Blutvergießen kam, wenn die Radikalen darauf beharrten, »die Widersprüche zuzuspitzen«, wie sie zu sagen und es zu tun pflegten. Als einziges Mitglied der Fakultät schloß ich mich dem Streikorganisationskomitee an. Ich wußte, daß ich damit meine Chancen – das »Ziel« einer Anstellung – gefährdete.

Künstler erwarten keine Anstellung. Unternehmer rechnen nicht auf die Pensionspläne, die große Konzerne bieten. Und derweil die Staatsbediensteten in ihren Pfründen grau werden, kommt der Rest von uns im Zweifel nicht umhin, aus dem Traum von Sicherheit aufzuwachen. Können wir die Vergänglichkeit von Ereignissen und Institutionen akzeptieren und lernen, ohne dauerhafte »Ziele« zu navigieren?

*

Nietzsches Ziellosigkeit hat die Neue Linke nicht erreicht, da sie die bourgeoisen Ziele, die unsere Eltern und Lehrer für uns gesetzt hatten, durch Die Transformation ersetzt hat. *Wir ersetzten die Ziele, die verworfen worden waren, einfach durch ein anderes Ziel.* Der Wandel des Bewußtseins, der an den Wandel des Selbst gekoppelt war, und der Wandel der Gesellschaft waren die Punkte, in denen sich die Ziele der Neuen Linken von denen der alten Linken unterschieden. Die zielorientierte alte Linke predigte das dröge Streben nach der Revolution, mit der ganzen dazugehörigen abgedroschenen ökonomischen Rhetorik von der Enteignung der Enteigner. Die prozeßorientiertere Neue Linke, die sich in weiten Teilen aus Hippies aus den Vororten rekrutierte, sagte demgegenüber: »Vergiß den ganzen Unfug mit dem *Eigentum.* Wer hat denn Lust, einen größeren Rasen zu mähen? Du mußt das *Bewußtsein* transformieren!« Vergiß die Revolution. Die gesellschaftliche Transformation war das »Ziel«, die Transformation jedes einzelnen war das Mittel, und damit hatte das ganze Experimentieren mit Sex, Drogen und Rock'n'Roll eine phantastische rationale Grundlage.

Berauschende Zeiten, die Sechziger. Leuchtende Farben. Lichtes und Leichtes, das immer wieder durchbrach. Die düstere Verzweiflung des europäischen Nihilismus ließ sich in Woodstock nicht gut zur Schau tragen. Auch 1968 in Paris kam ein Leidensrepertoire nicht gut an. Das Karl-Marx-Evangelium wich einer häretischen Wende zu den Marx-Brothers Groucho, Harpo und Zeppo – die Politik wurde so weit künstlerisch, daß sie komisch wurde. Es war nicht leicht, Ende der Sechziger Nihilist zu sein. Dazu wurde irgendwie zuviel gelacht.

Das Ziel – Die Transformation – kam natürlich nicht näher als die Revolution. Flower-power war mit dem unerschütterlichen Widerstand Mittelamerikas nicht vereinbar. Aber natürlich machte es Spaß, es dennoch zu versuchen. Das »Ziel«, Die Transformation, bewegte weiterhin viele von uns in diesen Jahren der Verwirrung. So verkauften sich Millionen von Büchern, von Arthur C. Clarkes *Childhood's End* bis zu Marilyn Fergusons *Die sanfte Verschwörung – Persönliche und gesellschaftliche Transformation im Zeitalter des Wassermanns*. Man fing jetzt sogar an, vom Neuen Zeitalter, New Age, zu sprechen. Aber nicht so viele. Und manche kicherten dabei. Das *New Age*-Magazin enthielt zu viele Anzeigen mit wilden Behauptungen über die transformierenden Kräfte alternder Gurus, makrobiotischer Diäten, magischer Kristalle... Die ganze Transformationsgeschichte wurde ziemlich lächerlich.

Die gesellschaftlichen Ziele der sechziger Jahre – Beendigung des Krieges in Vietnam, des Rassismus – wichen, wie Lila festgestellt hatte, in den Siebzigern und Achtzigern individuelleren Zielen. Job und Geld verdienen. Tom Wolfe schrieb über »The Me Decade«, die Ich-Dekade. Christopher Lasch sprach vom *Zeitalter des Narzißmus*. Spikes Zeit war gekommen. Oder war es so, daß die Zeiten viele Spikes hervorbrachten? In den Achtzigern kam die Beschäftigung mit sich selbst regelrecht in Mode. Nicht wenige von uns kamen so, durch die Experimente der Siebziger, vom Engagement der Sechziger zum Egoismus der Achtziger – dem genauen Gegenteil von dem, was wir ursprünglich gewollt hatten. Gehen wir die Vorgaben nochmals durch:

Zunächst einmal hatten die Studenten der Sechziger das »Ziel« des Abschlusses. Aber wozu? Welches Hauptfach und warum? Die Antwort für ehrgeizige Ingenieure: Um die Russen zu schlagen. Hierzu boten die Mathematik und Physik einen angemessenen Lehrplan. Aber mit der Beherrschung der Materie waren nicht alle Geheimnisse des

Universums gelöst, so kam als nächstes »Ziel« die Weisheit. Aber mein ehemaliges Idol, Martin Heidegger, hatte sich im Zusammenhang mit dem Nationalsozialismus als höchst unweise entpuppt. Er verschrieb sich der »Endlösung«. Und mit meinem Hegelschen Streben nach totalem Verständnis hätte mir vielleicht das gleiche passieren können. Vielleicht war ein Dr. phil. letztlich doch nicht gleichbedeutend mit dem Erreichen des »Zieles« der Weisheit. Das »Ziel« politische Gerechtigkeit setzte dem preußischen Streben nach dem »Ziel« Weisheit aus meiner Sicht Grenzen. Hinzu kam, daß mit dem Entstehen der Neuen Linken die Frage der Gerechtigkeit nicht mehr als fernes »Ziel« betrachtet wurde; statt dessen wurde nun die Kunst des Alltagslebens wichtig, eine Kunst, die ein Ziel in sich und kein Mittel zu irgendeinem fernen utopischen »Ziel« war.

Mit dieser Serie von Zielen – Abschluß, Beherrschung der Materie, Weisheit, gerechte Politik – führte die Babyboomgeneration den Rest der US-amerikanischen Gesellschaft in eine fast endlose Verfolgungsjagd. Erst ein »Ziel«, dann das nächste, dann noch ein weiteres – alle sollten unserem Leben einen Sinn geben und die relevanten Inhalte unseres alltäglichen Lebens definieren: erst die Atome und Moleküle, dann die Philosophien und dann die Ideologien und die Interessen der politisch Unterdrückten. Aber bei dieser ganzen endlosen Jagd nach einem »Ziel« wurde eines nie wirklich in Frage gestellt: ob das Streben nach irgendeinem transzendenten »Ziel« wirklich der beste Weg war, dem eigenen Leben einen Sinn zu geben. Das Leben mußte einen Zweck haben, der mit ziemlicher Absolutheit gesetzt wurde, ob politisch oder spirituell. Ansonsten schien das Leben sinnlos. Aber sobald wir uns diese Absolutheiten dann näher besahen, lösten sie sich vor unseren Augen in nichts auf.

Das Veralten von Absolutheiten

Während des größten Teils der menschlichen Geschichte war Gott still in Seinem Himmel. Es gab den Glauben an irgendeinen universalen Maßstab für richtig und falsch. Dabei hatten verschiedene Kulturen, verschiedene Gemeinschaften, verschiedene Individuen im Zweifel durchaus verschiedene Überzeugungen darüber, was dieser universale absolute Maßstab war – und genau darin lag der Grund für viele Konflikte. Aber die *Idee*, daß es einen solchen Maßstab gebe, wurde weiterhin akzeptiert. Gruppen und Individuen mögen sich dahingehend unterschieden haben, was sie als die Stimme dieses Absoluten ansahen, aber die Idee von einer universalen hierarchischen Ordnung mit einer einzelnen Spitze leuchtete fast allen ein.

Wenn wir zum postmodernen Abschnitt der Geschichte kommen, ist nicht zu übersehen, daß die Idee von etwas Absolutem bereits angefangen hat zu verblassen. Diese Erosion der Idee von der Absolutheit als solche ist etwas anderes als der Sturz irgendeiner Inkarnation des Absoluten. Sie ist weitaus radikaler. Diese für das zwanzigste Jahrhundert bezeichnende Entwicklung ist in verschiedenen Zusammenhängen entstanden, die keine direkte kausale Beziehung zueinander haben. Einige Beispiele mögen veranschaulichen, was ich meine, wenn ich von der Erosion des absolutistischen Denkens spreche:

(1) Anfang dieses Jahrhunderts sprengte Einsteins Relativitätstheorie die Vorstellung vom *absoluten Raum*. Die Bewegung im galaktischen Raum kann nicht in ein unsichtbares, aber festes Raster, das das Universum kartographisch erfaßt, gezeichnet werden. Jede Bewegung muß relativ zum Beobachter gemessen werden, und dieser Beobachter kann nicht für sich in Anspruch nehmen, absolut bewegungslos im absoluten Raum zu sein. Der Raum ist damit

kein riesiges Zimmer mehr, mit einer stabilen und erkennbaren Mitte.

(2) Mit Einsteins Theorie war auch die *absolute Gleichzeitigkeit* obsolet. Eine intuitiv so augenfällige Idee wie die, daß zwei Personen, indem sie zusammen klatschen, den Rhythmus halten, wird relativiert. Zwei Ereignisse, die Lichtjahre voneinander getrennt sind, können einem Beobachter als gleichzeitig erscheinen, einem anderen hingegen nicht.

(3) In der internationalen Wirtschaft diente der Goldstandard als *absoluter* Maßstab für *Reichtum*. Unter Nixon nahmen die Vereinigten Staaten 1972 die Garantie, Gold gegen Dollar zu tauschen, zurück. Seither kämpfen wir mit einem System, das so schön als »internationales Floaten« bezeichnet wird. Jede Währung wird gegen jede andere gehandelt. Es gab zwar Ansätze, aus verschiedenen Währungen sogenannte Währungs-»Körbe« zusammenzuschustern, die als stabiler Währungsstandard dienen sollten, aber es gibt nichts – nicht den Dollar, nicht die D-Mark, nicht den Yen –, was so wie einst das Gold funktioniert.

(4) Auf der Ebene der politischen Ordnung ließe sich zeigen, daß es in der ersten Hälfte des Jahrhunderts darum ging, welche Nationen die *absolute Souveränität* gewinnen und halten konnten, und in der zweiten Hälfte des Jahrhunderts um den Aufbau einer Weltordnung, bei der genau diese Idee der absoluten Souveränität ausgehöhlt wurde. So daß wir es heute mit einem internationalen »Floaten« der politischen Macht zu tun haben, die zunehmend auf wirtschaftlicher und immer weniger auf militärischer Macht beruht. Des weiteren wird die Idee der nationalen Souveränität durch die Globalisierung der Wirtschaft und die Etablierung von Wirtschaftsblöcken wie der Europäischen Union herausgefordert.

(5) Obgleich manche Linguisten noch immer der Idee von einer »Tiefenstruktur« anhängen, die unter der Oberfläche der unterschiedlichen Sprachen dieser Welt liegen soll, scheint der Trend insgesamt doch von solchen linguistischen Absolutheiten wegzugehen. Die heutigen Linguisten meinen, daß die verschiedenen natürlichen Sprachen – Französisch, Deutsch, Italienisch etc. – im Rahmen eines gewissen »linguistischen Floatens« verschiedene Ansätze zur *gegenseitigen* Übersetzung bieten. Es gibt kein universales Esperanto, das es wert wäre, diesen Namen zu tragen, keinen alleinigen Standard für jede Übersetzung und am allerwenigsten eine »Realität«. Statt davon auszugehen, daß ein eindeutiger *Bezug* die Realität wie einen Goldstandard nutzen kann, sprechen Linguisten und Literaturkritiker heute von Interpretationen von Interpretationen von Interpretationen ... ohne jede Gewißheit, jemals eine semantische Grundlage in irgendeinem absoluten Bezug zu finden.

In diesen fünf Beispielen, bei denen das absolutistische Denken abgelöst wurde – der Abschied vom absoluten Raum, von der absoluten Gleichzeitigkeit, der absoluten Währung, der absoluten Souveränität und des absoluten linguistischen Bezugs –, wurden die jeweiligen Disziplinen *nicht* ins Chaos eines hoffnungslosen Relativismus gestürzt. Es ist nach wie vor möglich, im Raum und in der Zeit zu navigieren. Die internationale Wirtschaft funktioniert nach wie vor. Es gibt nach wie vor einen gewissen Maßstab für politische Macht, und die Menschen können nach wie vor miteinander kommunizieren, ohne in hoffnungslose Verwirrung zu stürzen.

Ich nenne diese Beispiele aus zwei Gründen: Erstens, um die Bedeutung des Verfalls des Absoluten inhaltlich konkret zu füllen; zweitens, um der Panik entgegenzuwirken, die für gewöhnlich einsetzt, wenn Personen mit offensichtlichen Rissen im Absoluten konfrontiert werden: dem Tod Gottes und dem Verlust eines einzig gültigen absoluten Wertmaßstabes.

Bedeutet der Tod des Absoluten unausweichlich Verzweiflung? Meines Erachtens nicht. Wenn man jedoch das Wehklagen derer hört, die empfindlich auf das Ende der Moderne reagieren, glaubt man, einer Gruppenbeerdigung für den Tod Gottes, den Tod des Selbst, das Ende der Geschichte, den Tod der nationalen Souveränität und das Ende der Natur beizuwohnen. O weh! Oh, welches Händeringen!

Eines der Hauptmerkmale des Postmodernismus ist, daß es keinen transzendenten Zweck oder Sinn mehr gibt. Die Ziellosigkeit und die postmoderne Dekonstruktion der Autorität gehen Hand in Hand: Der Postmodernismus ist *nicht nur* das Ergebnis der Tatsache, daß sehr viele den Glauben an den Fortschritt verloren haben und somit ohne »Ziele« sind; ein Faktum ist *vielmehr auch*, daß Menschen in der Postmoderne der Zugang zu Ratschlägen von verläßlichen Autoritäten vorenthalten wird, wenn es um die Wahl zwischen ihren Zielen geht. »Ziele« werden nicht *gegeben*, weil man weder in der historischen Dimension zielbewußten Handelns noch in der vertikalen transzendentalen Dimension etwas findet, das einem das Anvisieren eines »Ziels« ermöglicht.

Das individuelle Handeln kann nicht mit dem Verweis auf irgendein größeres kollektives »Ziel« gerechtfertigt werden, das aus der Geschichte ablesbar ist. Die Geschichte hat mehr als ein Gesicht. Die Geschichte wurde in einen verworrenen Strang aus alternativen Geschichten, verschiedenen Revisionen und kontroversen Erinnerungen an unsere manchmal gemeinsamen und manchmal verschiedenen Vergangenheiten zerlegt. Eins, zwei, drei, laßt hundert Geschichten blühen. Mit der Konsequenz, daß dem einzelnen in den postmodernen Zeiten ein sinn- und bedeutungsvolles Geschichtsverständnis genommen wurde.

Diese Multiplikation der Geschichten steht in Wirklichkeit hinter Fukuyamas »Ende der Geschichte«. Der eigentliche Punkt ist die Fülle von Erzählungen, die übermäßig vereinfacht würden, wenn sie zu eng zu einem einzelnen Strang verwoben würden, der »Geschichte« genannt wird. Der Strang, der die weiße, männliche, europäische Geschichte war, wurde aufgedröselt und zu einem breiten und verworrenen Netz verstrickt, zu dem, wenn auch nur mit Schwierigkeiten, auch das Erbe des Nahen und Fernen Ostens, die feministische Geschichte und ebenso gehört, wie wenig wir über die Geschichte Afrikas und Südamerikas wissen, ganz zu schweigen von der zeitlosen Weisheit der Ureinwohner Amerikas. Der Versuch, diese verschiedenen Erzählungen in einer einzigen Geschichte unterzubringen, die auch die europäische Geschichte enthält, ist nicht einfach. Wir streben heute nicht mehr nach einer alles umfassenden Sicht.

Ohne das alte imperiale Selbstvertrauen, daß wir von der und für die Gesamtheit der menschlichen Geschichte sprechen können, wird die Konfrontation mit anderen Kulturen Teil des Postmodernismus – die Bewußtwerdung, daß es mehr als nur einige wenige Möglichkeiten gibt, das menschliche Spiel zu spielen, und daß die US-amerikanische Kultur nicht unbedingt die fortschrittlichste, höchste oder beste ist. Im Gegenteil, die Triumphe des Modernismus könnten auch ein Schädlingsbefall auf dem Gesicht der Erde sein, ein Virus in der Biosphäre, eine Abirrung in der langen Kette der evolutionären Entwicklung, die heute dafür verantwortlich ist, daß Dutzende anderer Arten verschwunden sind. Mit der im großen historischen Drama vorgenommenen Umbesetzung der menschlichen Gattung: von der Rolle des Helden zur Rolle des Schurken – stehen wir ohne Held für unsere eigene Geschichte und damit ohne überzeugende Geschichte da.

Der Punkt hinsichtlich des Endes der Geschichte ist, voll und ganz die Botschaft des Postmodernismus zu verdauen, nämlich, daß es (um es mit den Worten eines der großen französischen Gelehrten des Postmodernismus, Jean-François Lyotard, auszudrücken) keine überzeugende »Metaerzählung«, keine alles umfassende Handlung, daß es den einen Plot mit einem glücklichen Ausgang nicht gibt, um unser Bedürfnis nach einem »Ziel« oder unseren Sinn für ein Ende zu befriedigen.[14] Und das ist beunruhigend. Es ist nicht beunruhigend, weil das Ende nicht glücklich ist. Es ist beunruhigend, weil es überhaupt kein Ende gibt, keine saubere und ordentliche Schlußfolgerung, kein endgültiges »Ziel«, keinen Abschluß. Die Dinge passieren einfach immer weiter.

*

Der Mangel einer kosmischen Metaerzählung schwingt in unserem täglichen Leben als das Wiedererwachen eines Gefühls von etwas Geheimnisvollem mit. Zu wissen, daß man sich nicht vorstellen kann, wo man in zehn Jahren sein wird, daß kein Gefühl, das Ihnen sagt, hier oder dort ist mein Platz, Ihnen einen stabilen Hintergrund für Ihre Träume vom Weiterkommen geben kann, daß keine feste Leiter, keine Karte von Vertrautem, kein Meßblatt von bekannten Gewässern existierten, die es Ihnen ermöglichen würden, in Gewißheit von der Gegenwart in die Zukunft zu navigieren – heißt, daß man tatsächlich und wirklich haltlos in der Zeit treibt und ohne jeden Hinweis, wie die ferne Zukunft aussehen wird.

Wie fühlt man sich, wenn man nicht nur kein festes Zuhause hat, sondern davon ausgehen muß, daß man auch nie ein festes Zuhause haben wird? Wie fühlt man sich, wenn man jede Bindung und Neigung zur Häuslichkeit aufgibt? Wenn man die Hoffnungen auf einen Herd aufgibt, an dem Jahr für Jahr dieselben Weihnachtssocken hängen? Wie ist es, alle Phantasien von einem großen Eßtisch mit vielen engen Freunden aufzugeben, die tagein, tagaus da sind, um

75

miteinander zu reden? Kann man das Netz, das Gemeinschaft genannt wurde, einfach ganz und gar vernachlässigen? Wie ist es zu wissen, daß alle, die zusammen mit Ihnen am Tisch essen, Bekannte und nicht Freunde sind, und daß ihre Loyalität begrenzt ist, trotz der Vertraulichkeiten, die beim Kaffee ausgetauscht werden? So haltlos zu treiben heißt, in Gefahr zu sein. Überhaupt kein Ziel zu haben heißt, ziellos zu sein.

Natürlich kann jeder von uns sich seine eigenen individuellen Ziele setzen: den Mount Everest zu besteigen, einen Roman zu schreiben, eine Familie zu gründen. Aber diese individuellen Ziele, worin sie auch immer bestehen mögen, finden ihre Rechtfertigung nicht mehr in irgendeinem größeren Muster, das von einem kohärenten Bild des historischen Fortschritts geliefert wird. Somit sind wir darauf angewiesen, die Dinge auf uns zukommen zu lassen und zu versuchen, das Beste daraus zu machen, mehr oder weniger wie ein Künstler bei seiner schöpferischen Arbeit. Wir können unsere lokalen Ziele haben, auf irgendeiner größeren Karte sind sie jedoch nicht leicht zu lokalisieren. *Das* ist die Bedeutung des Verlustes der Absolutheiten.

Aus Liebe zum Narzißmus

Mir scheint es wichtig zu betonen ... daß ... der Narzißmus an *allen* Schichten unseres Erlebens, unabhängig von ihnen, entlangläuft. Mit anderen Worten: daß er nicht nur eine zu überwindende Lebensunreife, sondern auch eine wesenserneuernde Lebensbegleitung ist.

Lou Andreas-Salomé,
In der Schule bei Freud[15]

Kapitel 4

Die Siebziger waren ernüchternd. Die wissenschaftlichen Ziele der Fünfziger und die gesellschaftlichen Ziele der Sechziger hatten beide das Hehre und Noble der Selbstaufopferung. Nicht so die Ziele der Siebziger und Achtziger. Selbstverwirklichung ist das exakte Gegenteil von Selbstaufopferung. Und Gier ... nun, warten Sie einen Augenblick mit dem Hehren und Noblen, bis wir die Knete gezählt haben.

Eine starke Identität ist das stillschweigende Ziel derer, die sich von der Gesellschaft abwenden, um sich »selbst zu finden«. Aber das Modell der künstlerischen Selbstschöpfung geht davon aus, daß man das Selbst ebensowenig wie ein Bild auf einer leeren Leinwand, also nicht wie eine bereits existierende Sache finden kann. Die »Identitätskrise« ist keine Phase mehr, die man in der Jugend einmal durchmacht, sondern ein fortlaufender Zustand. Die Selbstschöpfung ist nie beendet.

*

Da dieser neue Individualismus seinen Preis hat, gibt es jetzt eine starke Gegenströmung. Insbesondere im Land des wild wuchernden Individualismus, den Vereinigten Staaten von Amerika, sind Stimmen zu hören, die vor den Gefahren von zuviel Individualismus warnen. Ebenso gibt es Klagen über einen schleichenden Narzißmus.

Um besser zu verstehen, was genau passiert ist, möchte ich den alten Mythos von Narziß in seiner ganzen unschuldigen Reinheit in Erinnerung rufen. Nachdem ich auf die Vorwürfe eingegangen bin, die gegen die Erben von Narziß erhoben werden, gehe ich auf den Unsinn von Narzißmus wie auch auf *die Fruchtlosigkeit des Unterfangens* ein, *sich Selbstverwirklichung zum »Ziel« zu setzen.* Aber der *Un-Sinn* wird erst klar, wenn der *Sinn* klar ist. Es ist durchaus wichtig zu erkennen, daß die Hinwendung zum »Ziel« der Selbstverwirklichung kein Zufall, sondern eine verständliche Reaktion auf historische Umstände war – das innere »Ziel« sollte den Verlust eines äußeren »Ziels« ersetzen.

Die Zeiten ändern sich. Die alten politischen und religiösen absoluten Wahrheiten wurden durch die Geschichte des zwanzigsten Jahrhunderts ausgehöhlt, und wir wurden als Individuen auf unser eigenes Rüstzeug zurückgeworfen. Bei der Organisation unseres Lebens können wir uns jetzt nicht mehr einfach auf »Ziele« berufen, die durch religiöse oder politische Ideale gerechtfertigt wurden. Aber wir können es besser als Spike mit seinem Rückzug auf Bodybuilding machen.

Statt zu lernen, in den Stromschnellen des zwanzigsten Jahrhunderts zu schwimmen, haben viele sich dafür entschieden, sich auf das zu konzentrieren, was sie als den Felsen in ihrem Privatleben ansehen. Sie lernen, genau wie Spike, die eigene Person, das liebe Ich in den Vordergrund zu stellen. Sie werden egoistisch. Eine Reaktion, die aus meiner Sicht nicht minder entsetzlich als die Resignation ist, sich mit den Zielen eines Funktionärs zufriedenzugeben. Aber es ist angesichts der Turbulenzen der Zeit eine verständliche Reaktion.

Die Subjektivität – die Erfahrung der eigenen Persönlichkeit – ist nicht immun gegenüber der Geschichte, wie sehr die jüngste Geschichte Individuen auch in den Kokon der Privatsphäre treiben mag, wo sie sich im Zweifel in dem Glauben wähnen, sie könnten sich von der Geschichte isolieren. Genau wie die Subjektivität hat auch der Wahnsinn eine Geschichte. Jede Kultur, jede Ära hat ihren eigenen Weg, die Menschen in den Wahnsinn zu treiben.

In der viktorianischen Gesellschaft war die Hysterie die wichtigste Geisteskrankheit. Was erklärt, warum so vieles in Freuds Werk sich an hysterischen Neurosen orientiert. Um die Mitte des zwanzigsten Jahrhunderts hatte die Schizophrenie dann der Hysterie den Rang abgelaufen. Und Ende der siebziger und achtziger Jahre waren es dann die »Borderline-Störungen« – »narzißtische Persönlichkeitsstörungen« –, die am häufigsten in den Psychiaterpraxen vorgestellt wurden.

Die Triebkraft der jüngsten Geschichte führt in die Einsamkeit des Narziß, der alle Ziele außerhalb seiner Höhle, selbst die Liebe, aufgibt. Was verhängnisvoll und unnötig ist. Aber solange die Gründe für den Narzißmus im Umbruch der postmodernen Zeit nicht erkannt werden, werden die bedauerlichen Aspekte dieser Neigung nicht offen benannt werden, als Ergebnis von Schuldgefühlen. Beschreiben wir den Weg vom Öffentlichen zum Privaten, von den alten »Zielen« der Religion und Politik zum neuen »Ziel« der Selbstverwirklichung. Folgen wir Narziß in seine Höhle, um zu sehen, ob es möglich ist, auf der anderen Seite singend herauszukommen.

*

Was ist die Verbindung zwischen der Geschichte des Wahnsinns und der Geschichte der Subjektivität? Und inwieweit hat das Eintreten ins Informationszeitalter die Voraussetzung für die Blüte des Narzißmus geschaffen? Was kann die Kultur des Postmodernismus uns über die Einflüsse auf die Subjektivität gegen Ende des zwanzigsten Jahrhunderts sagen? Ein kurzer Überblick über einige der Hauptpunkte in der Entwicklung vom Modernismus zum Postmodernismus in der Kunst, Architektur und Literaturkritik wird verdeutlichen, warum sich die narzißtische Persönlichkeit hier so zu Hause fühlen kann.

Zum Modernismus in der Architektur gehören die Werke von Mies van der Rohe und der Bauhaus-Schule bis zu den Glaskästen von Skidmore, Owings und Merrill.

Diese Architektur wirkt durch ihre Regelmäßigkeit, Funktionalität und Unpersönlichkeit mechanisch. Die postmoderne Architektur ist im Gegensatz dazu verspielt, ironisch und eklektisch – eine dorische Säule hier, eine viktorianische Verzierung dort, eine schwer auszumachende Zusammenstellung von Elementen aus der Vergangenheit, Gegenwart und Zukunft. Als hätten die Gebäude gelernt, ihre Garderoben bunt miteinander zu kombinieren und aufeinander abzustimmen, wie eine Frau, die an einem Tag bei Armani und am nächsten bei CostCo einkauft. Die postmoderne Architektur unterscheidet sich von der modernen Architektur ebenso sehr wie die verspieltere Neue Linke von der ernsteren alten Linken.

Der literarische Modernismus, wie er im Werk von T. S. Eliot und durch Werke wie *Das wüste Land* veranschaulicht wird, war eine Reaktion auf die Unpersönlichkeit und Sinnlosigkeit. Der Postmodernismus in der Literatur ist mehr das Gebiet der Kritiker als der Autoren. Bezeichnend für die postmoderne Literaturkritik sind unter anderem die Versuche, die Autorität des Autors herauszufordern. Der Leser und der Kritiker befinden über die Auf- und Annahme des literarischen Kunstwerks. Der Autor ist nur ein spärlich selbstbewußter Schnittpunkt, an dem gesellschaftliche, wirtschaftliche, historische und psychologische Einflüsse einander begegnen und sich überschneiden.

Genau wie die Autorität des Autors wird die Autonomie des Selbst in der postmodernen Ära suspekt. Der Kapitän des Schiffes, das einsame Ich am Ruder des Selbst, wurde zu einem komplexen Spiel gesellschaftlicher, psychologischer, wirtschaftlicher und historischer Kräfte dekonstruiert. Statt den Schriftsteller als autonomen *Ursprung* eines Textes zu nehmen, der die Intentionen des Autors ausdrücken soll, ersetzt Edward Said das Wort »Ursprünge« durch »Anfänge«, um das Image des Autors als einem gottähnlichen Schöpfer zu untergraben, bei dem sich alles als beabsichtigt oder vorherbestimmt erweist.

Genau wie der Autor nicht der Ursprung oder Schöpfer eines Textes ist, so ist das Selbst kein allmächtiger Gott über sein Leben. Genau wie ein Anfang nicht unbedingt ein göttlicher Ursprung ist, so ist das Ende nicht unbedingt ein Ziel. Nietzsches »Ziellosigkeit an sich« kommt der Dekonstruktion der Idee des Schicksals oder Loses in einer Weise gleich, die ein Spiegel für Saids Ersetzung der Ursprünge durch Anfänge ist.

Die Kräfte, die beim seriellen Aufbau des Selbst im Spiel sind, sind nicht mechanischer Natur, nicht bloße Druck- und Zugkräfte oder Anziehungskräfte und Rückstöße. Die Postmoderne ist vielmehr eine *symbolische* Arena, die nicht nach den Gesetzen der Physik, sondern nach den Regeln der Grammatik, Syntax und Semantik funktioniert. Mehr noch, viele Postmodernisten bezweifeln, daß Zeichen eindeutig an eine physische Realität zu binden sind.

Sowohl in der Kunst als auch in der Architektur offenbart der Postmodernismus eine ironische Gleichgültigkeit gegenüber sturer Funktionalität oder treuer Repräsentation. Enggefaßte Interpretationen von *Nützlichkeit* weichen launigen und humorigen Darstellungen. Die Abscheu vor einer photographischen Darstellung in der Kunst weicht ironischen Wiederholungen von Wiederholungen. Was ist Realität? Wer weiß es? Wichtiger noch, wen kümmert es? Das wissenschaftliche Streben nach »Wahrheit« ist einer manchmal verzweifelten, manchmal ironischen Suche nach dem *Sinn* gewichen. Die »Wahrheit« im engen, buchstäblichen Sinne steht nicht zur Debatte. Sowohl die Erzählung als auch der Witz sind narrative Formen, die sich, um einen Sinn zu schaffen, auf Ketten von Symbolen stützen – und nicht unbedingt auf die Wahrheit. Eher im Gegenteil, Romane sind Fiktionen, und Witze machen sich Zweideutigkeiten oder Doppeldeutigkeiten zunutze.

Die Informations- und Dienstleistungssektoren der postmodernen Wirtschaft unterscheiden sich von der Massenproduktion der modernen Wirtschaft ebensosehr wie die postmoderne Kunst und Kritik von ihren modernen Vorläufern – zum Teil in gleicher Hinsicht. Statt sich auf Werkzeuge der mechanischen Reproduktion zu stützen, stützt sich die postmoderne Kunst auf den bunten Fundus der Imagination. Statt sich auf die sklavische Wiederholung des immer *Gleichen* zu stützen, verlangen die Informations- und Dienstleistungssektoren der postmodernen Wirtschaft Innovation und die Anpassung an das immer wieder *andere*.

Eine Hauptfunktion der Technologie der industriellen Massenproduktion war die *Wiederholung* – und die *Standardisierung*. In einer Informationswirtschaft hat die Technologie eine genau gegenteilige Funktion: *Innovation* – Differenzierungen. Dieser Unterschied zwischen den grundlegenden Funktionen der Technologie in der industriellen Wirtschaft und der Informationswirtschaft ist fundamental, so gravierend wie der Unterschied zwischen Gleichheit und Differenz. Und dieser Unterschied *verändert alles und untergräbt eines der zentralen Ziele des industriellen Kapitalismus:* die Anhäufung von immer mehr Gleichem.

Das wichtigste, um in einer Welt, in der die Schöpfung des Verschiedenen gegenüber der Anhäufung von gleichem dominiert, »Ziellosigkeit« zu verstehen, ist, daß die Maßstäbe zur Bewertung des Selbstwertgefühls geändert werden müssen. Ein Viehzüchter kann es sich leisten, bescheiden zu sein. Die dicksten Rancher in Texas werden zugeben, »einige Kühe« zu haben, denn sie wissen, daß ihr Reichtum gezählt werden kann und nicht über Nacht verschwinden wird. Für die Werbetexter in New York oder die Agenten in Hollywood, wo die Werbemasche alles ist, ist die Situation eine andere. Das Niveau politischer und zwischenmenschlicher Fertigkeiten ist in der akademischen Welt bekanntermaßen gering, da die Menschen hier so wenig Greifbares als Leistung oder Errungenschaft vorzuzeigen haben. Was zur Folge hat, daß sie ein kleines Problem mit ihrem Selbstwertgefühl bekommen. Unter Wissenschaftlern und Autoren begegnen Sie mehr Narzißten als unter Zimmermännern und Maurern. Warum? Es ist keine wirtschaftliche Frage. Es ist vielmehr eine Frage *der Festigkeit des Mediums, mit dem man arbeitet.*

Die Flüchtigkeit des Reichtums, der auf Informationen statt auf Land, Arbeit oder Kapital beruht, ist wirklich beeindruckend. Früher konnte man die Größe eines Grundstückes messen, die Größe einer Herde zählen, die Goldmenge wiegen und die Hektar Land abgehen. Und bei keiner dieser Mengen waren sprunghafte Veränderungen von einem Tag zum anderen wahrscheinlich. Physische Mengen verändern sich kontinuierlich durch Inkremente schrittweiser Addition und Subtraktion. Nicht so jedoch Mengen, die durch nicht greifbare Faktoren wie Popularität, Kredit, Wechselkurse, Zinssätze, Reputation oder plötzliche Veränderungen des Marktwertes im Finanzgeschäft oder Showbusineß bestimmt werden. Im Laufe des letzten Jahrzehnts haben wir bemerkenswerte Umbrüche bei Männern wie Donald Trump, Michael Jackson und Michael Milken miterlebt. Mächtige Imperien sind »über Nacht« zusammengebrochen: Chrysler, E. F. Hutton. Papier ist unbeständiger als Gold, und noch unbeständiger sind elektronische Markierungen auf Datenbändern. Und Ruhm oder Reputation sind flüchtiger als Anlagekapital. Was alles dazu beiträgt, daß die Geschäftslandschaft im Informationszeitalter ein gefährlicher und riskanter Ort zum Spielen ist. Es gibt keine soliden Grundlagen, auf die man sich verlassen kann. Daß aus schwarzer Tinte rote wird, ist eine Möglichkeit, mit der man ständig leben muß, wenn man sich auf das Kapitalanlagenspiel mit geborgten Mitteln einläßt. Das Risiko ist real.

Diese neue Sprunghaftigkeit im Kern dessen, was Freud so treffend das »Realitätsprinzip« nannte, genügt, um die wildesten Schwankungen im Selbstwertgefühl auszulösen. Und ebendiese Schwankungen sind das Charakteristikum des Narzißmus. Es ist falsch anzunehmen, wie wir noch sehen werden, daß Narzißten *nur* in sich selbst verliebt sind.

Die derzeitige hohe Verbreitung von Narzißmus ist insgesamt eine natürliche Reaktion auf den Mangel an Sicherheit, den Menschen in der heutigen kulturellen und wirtschaftlichen Umwelt erfahren. Nachdem die alten Navigationshilfen nicht mehr existieren, besteht die Gefahr, daß Schwindelgefühle auftreten: die ängstigende Freiheit. Wie heißt es doch in Hollywood: Du bist nur so gut wie dein letzter Film. Eine Bestandsliste über Innovationen verrottet so schnell wie eine Wagenladung reifer Früchte. Was in der Konsequenz die Lieferanten derart leichtverderblicher Waren zu mehr Aufgeblasenheit tendieren läßt.

Wenn der Erfolg in einem symbolischen Universum, wie es heißt, weitestgehend aus Nebel und Spiegeln besteht, dann müssen Spike und der Rest von uns lernen, wie man in den Spiegel sieht. Und wenn wir Narzißten sein *müssen*, könnten wir doch auch gut darin werden. Folglich geht es beim Rest dieses Kapitels genau darum: *gut* in Narzißmus zu werden. Manche »Ziele« können leicht durch ein einfaches Loslassen aufgegeben werden. Aber das »Ziel« der Selbstverwirklichung ist so verlockend, die Versuchungen des kostbaren Selbst sind gegenüber den »Zielen« der Sechziger und Siebziger so verführerisch, daß wir ihnen leicht erliegen. Es reicht nicht zu sagen: »Gib das ›Ziel‹ der Selbstverwirklichung auf.« Es bedarf einer subtileren Therapie: einer Therapie, die auf das »Ziel« der Selbstverwirklichung zusteuert, nur um dann deren Flüchtigkeit zu entdecken.

Statt Narzißmus als schlecht zu verdammen oder als gut zu glorifizieren, müssen wir das Phänomen Narzißmus historisch und kulturell vor dem Hintergrund des Beginns des postmodernen Informationszeitalters begreifen. Erst dann können wir an die Aufgabe herangehen, das sozial und persönlich Schwächende des Narzißmus von anderen Aspekten zu trennen, die eine gewisse Hoffnung bieten könnten. Etwa um zu lernen, ohne jene großen Ziele zu leben, die uns von Politik oder Religion geliefert wurden.

Die Blüte des Narzißmus

Dem alten Mythos zufolge lehnte Narziß die Gesellschaft anderer ab. Er zog es vor, sein eigenes Spiegelbild im Wasser einer Quelle anzustarren. Er verliebte sich so sehr in sein Spiegelbild, daß er jeden und alles um sich herum ignorierte, von der Nymphe Echo, seiner verschmähten Geliebten, bis zur Nahrungsaufnahme. Er verhungerte am Ufer des Gewässers, und dort, wo sein verwesender Körper den Boden mulchte, wuchs die Blume mit dem goldenen Herzen, die wir heute als Narzisse kennen.

Man sollte sich die Einzelheiten dieses Mythos in Erinnerung rufen, da viele US-Amerikaner heute knietief im Narzißmus stecken, ein Wort, das Gesellschaftskritiker wie Daniel Bell, Christopher Lasch, Richard Sennett und Robert Bellah immer wieder ins Gespräch bringen. Die Blüte des Narzißmus ist ein Zeichen, daß manche Postmodernisten ihren Weg in der einsamen Wildnis schließlich gefunden haben, die von den Modernisten gemeinhin als Entfremdung bezeichnet wurde. Narzißmus ist eine Reaktion auf den Zustand, den wir Entfremdung nannten, ehe wir lernten, wie wir damit leben konnten. Narzißten sind einfach Menschen, die lange genug entfremdet waren, um gelernt zu haben, diesen Zustand zu lieben oder ihn zumindest zu mögen (Liebe mit Ironie).

Bei dieser Einstellung zum Narzißmus läßt sich da, wo andere ein Trauerlied anstimmen, ein beschwingter Rhythmus schlagen. Die in das Trauerlied einstimmen, meinen, unser öffentliches Leben und unser Gemeinschaftsgeist seien der Leidenschaft fürs Private zum Opfer gefallen. Politischer Eifer sei persönlichen Anliegen gewichen. Die Bewegung zur Entfaltung der eigenen Persönlichkeit hat dem sozialen Gewissen der sechziger Jahre das Feuer gestohlen. »The Me Decade« ist der Titel eines Essays von Tom Wolfe, der damit andere Kritiker noch immer dazu animiert, in einer Art feierlicher Messe für die moderne Gesellschaft zu verkünden: Narzißmus ist etwas Schlechtes. Vielleicht. Bezeichnend für die allgemein als »schlecht« abgekanzelten Dinge ist es jedoch, daß sie kurioserweise in der Sozialgeschichte Therapien hervorgebracht haben, die schlimmer als die Krankheit waren, wir brauchen uns nur die viktorianische und puritanische Unterdrückung der Sexualität anzusehen. Venus/Aphrodite, die Göttin der Schönheit und Sexualität, wurde aus dem viktorianischen Pantheon verbannt. Aber die Verbannten haben die seltsame Angewohnheit, als Märtyrer zurückzukommen.

Narzißmus kann pathologisch sein, keine Frage. Wir täten aber vielleicht gut daran, statt nach Quarantäne oder nach einer Behandlung zu rufen, uns zuerst die Beziehungen zwischen Symptom und Ursache und dann die Implikationen der Diagnose einmal näher anzusehen. Was den ersten Schritt angeht, sind wir den Kritikern sehr zu Dank verpflichtet. Sie haben erkannt, daß Narzißmus, trotz der Individualisierung der einzelnen Symptome, ein *gesellschaftliches* Problem mit gesellschaftlichen Ursachen und gesellschaftlichen Wirkungen ist. Der Aufforderung der Kritiker, den schleichenden Narzißmus bis zu seinen heimtückischen gesellschaftlichen Wurzeln niederzutrampeln, will ich aber nicht nachkommen. Wir sollten vorsichtig mit Versuchen sein, die darauf abzielen, Unkraut jedweder Art auszurotten. Lassen Sie uns auch unserer Kultur genauso wie der Natur etwas ökologisches Bewußtsein entgegenbringen. Lassen Sie uns die Nische finden, wo der Narzißmus hingehört, und verstehen, warum er über diese Nische hinausgegangen ist. Diese Ungleichgewichte ergeben sich nicht einfach zufällig. Vielleicht läßt sich sogar etwas aus dieser letzten kulturellen Pathologie lernen. Narzißmus ist nicht *rundweg* schlecht.

Was kann ich zu seiner Verteidigung anbieten, ohne ihn romantisch zu verklären und damit zur weiteren Ausbreitung dieser »gesellschaftlichen Krankheit« beizutragen? Die Schwierigkeit ist, daß die Würdigung eines Restes von Gesundheit in der narzißtischen Persönlichkeit mit einer Entschuldigung von noch mehr entsetzlicher Zügellosigkeit und egotistischer Selbstverherrlichung verwechselt wird. Wir möchten zu keinem engstirnigen Egoismus ermutigen. Wenn wir alle danach streben, die *Nummer eins* zu sein, wird niemand von uns die gemeinsamen Vorteile genießen, die soziale Anstrengungen bieten. Dieser Punkt ist elementar. Die subtilere Frage ist, wie gesellschaftliche Bande in einer Nachbarschaft von Narzißten geknüpft werden können, ohne die Bewohner zu verbannen oder auszurotten. Wir brauchen mehr Verständnis statt Antipathie. Haß wird kaum ein Problem bewältigen, dessen Ursprung der Mangel an Liebe ist.

Null-Grad-Narzißmus

Psychoanalytiker unterscheiden zwischen primärem und sekundärem Narzißmus. *Primärer* Narzißmus zeigt die relative Unschuld der kindlichen Selbstliebe, die praktisch blind gegenüber dem Anderssein ist. Der *sekundäre* Narzißmus ist eine weniger harmlose, egotistischere Selbstliebe, die auf einer Wahl zwischen der Liebe zum *Selbst* und der Liebe eines klar unterschiedenen *anderen* beruht.

Ich möchte einen Zustand beschreiben, den ich als *tertiären Narzißmus* bezeichnen werde. Er ist noch weniger harmlos als der sekundäre Narzißmus. Dahinter steht, was Sie bekommen, wenn Sie einen sekundären Narzißten wie Spike nehmen, ihn wegen seines Narzißmus beschimpfen und ihm Schuldgefühle wegen seiner Selbstliebe einimpfen. Der tertiäre Narzißmus ist *so* mit Schuldgefühlen behaftet, daß er sich weigert, sich selbst als Narzißmus zu akzeptieren. Dahinter steht eine übermäßige Beschäftigung mit dem Selbst, aber ohne daß dieses Selbst eine ausreichende Wertschätzung erfährt. Er äußert sich in Form einer Starre und Apathie, eines Rückzugs in eine pauschale, farblose Indisposition. Tertiärer Narzißmus ist Selbstliebe, die beim Koitus an Selbsthaß gekoppelt ist. Er repräsentiert alle Dilemmata des Narzißmus, aber keine der Freuden. Ein Canyon, aus dem es kein Entrinnen gibt, ein leeres Insichsein, eine Flucht nach innen, die aus Angst vor der Außenwelt angetreten wird, ein öder Ort, an dem das Selbst keine Freude finden kann, weil die Selbstliebe, wie wir alle wissen sollten, etwas »Schlechtes« ist.

Was mich vor allem von den derzeitigen Narzißmuskritikern unterscheidet, ist, daß sie, ohne zwischen möglichen konstruktiven und offenkundig destruktiven Elementen des Narzißmus zu unterscheiden, alle Narzißten, primäre wie sekundäre, geradewegs in diesen ausweglosen Canyon treiben. Aber wenn es unmöglich ist, über den tertiären Narzißmus noch hinauszugehen, wie wäre es dann mit dem Rückwärtsgang? Wie wäre es, einfach die Richtung zu ändern und zurückzugehen, zurück durch den Egotismus der sekundären Stufe, zurück durch die kindliche Unschuld der primären Stufe bis zu einer noch »früheren« Stufe, die ich als *Null-Grad-Narzißmus* bezeichnen möchte? Beispiele? Muhammad Ali, der der Welt verkündete: »Ich bin der Größte«; die Kühnheit eines Norman Mailer, der ein Buch mit dem Titel *Advertisements for Myself* schrieb.

Der Null-Grad-Narzißmus erreicht durch eine so eingehende Beschäftigung mit dem Selbst, die dazu führt, daß die Nichtigkeit, das *Nihil* im Innersten des Selbst, unweigerlich entdeckt werden muß, eine gutartige Vernichtung des Selbst. Der Null-Grad-Narzißmus verschlingt den eigenen Nabel. Indem er sich hoch auf das Podest der exhibitionistischen Zurschaustellung schwingt, setzt er sich vorsätzlich der Verwundbarkeit durch hämisches Gelächter und Spott aus. Es ist ein gefährliches Spiel, das das »Ziel« der Selbstverwirklichung dekonstruiert, selbst wenn es so aussieht, als würde ein imposantes Ich konstruiert.

Nietzsche versieht Kapitel in seiner Autobiographie mit Überschriften wie »Warum ich so weise bin« und »Warum ich so gute Bücher schreibe«. Roland Barthes veröffentlicht in seiner Autobiographie *Über mich selbst* Photographien von sich und Kostproben von seinen zusammenhanglosen, fragmentarischen handschriftlichen Kritzeleien. An diesen Beispielen können wir eine gewisse *Veralberung des kostbaren Selbst* erkennen.[16]

Dieses offene selbstbewußte Suhlen in Selbstschmeichelei erweist sich als eine *reductio ad absurdum*. Durch ihre ausgefallene Beinarbeit oder ihre Offenbarungen von Selbstwidersprüchen demonstrieren diese ausgenullten Narzißten allen und jedem – einschließlich sich selbst – die *Insubstantialität des Selbst*. Um zu sehen, wie sie der elenden Ziellosigkeit entkommen, in die Spike fiel, wollen wir uns einige der Profis, und wie sie es gemacht haben, etwas näher ansehen.

In *Genius and Lust, A Journey Through the Major Writings of Henry Miller* folgt Norman Mailer Henry Miller durch die Metamorphosen seiner psychosexuellen Entwicklung als Autor. Die zentrale Pathologie ist natürlich der Narzißmus, aber nicht jene Art von Narzißmus, die in Freudschen Texten behandelt wird. Mailer erkennt den Weg zur Selbstvernichtung, wenn er beobachtet: »Man kann sich selbst im Innersten verabscheuen und dennoch ein Narzißt sein. Was den Narzißmus kennzeichnet, ist die grundlegende Beziehung. Die mit sich selbst. Die gleiche Dialektik von Liebe und Haß, die Partner füreinander empfinden, wird hier innerhalb des Selbst empfunden.«[17]

Das Selbst wird innerlich zu zwei oder möglicherweise auch mehreren Selbsts. »Der innere Dialog hört kaum jemals auf«, schreibt Mailer, und wir könnten ihn wohl zu Recht fragen, ob dieser aktive innere Dialog des Narzißten nicht genau der Stoff ist, aus dem seine Romane gemacht sind[18]. Mailer kennt Millers Narzißmus wegen seiner eigenen Beziehungen zu sich selbst so gut. Kurz: Vieles von dem, was Mailer über Miller schreibt, ist in Wirklichkeit Mailer über Mailer. Er erteilt uns sogar eine Lektion in versetztem Lesen von versetztem Schreiben: Er fordert uns auf, die Ausführungen von Anaïs Nin über ihre gemeinsame Geliebte June als Ausführungen von Nin über Miller zu lesen.

»Seltsam!« schreibt Mailer. »Wenn wir uns auf Millers Geist statt auf Junes Schönheit konzentrieren, könnte es sich bei Nins Ausführungen ebensogut um eine Beschreibung seines Talentes handeln: *verblüffend, glühend, phosphoreszierend, bizarr, phantastisch, nervös, hochfiebrig . . .*«; wobei jeder dieser Begriffe einem langen Zitat von Nin über June entnommen ist. »*. . .* voller *Farbe, Brillanz*«, fährt Mailer fort, »und schließlich *dem fehlenden Mut zu ihrer Persönlichkeit, Chaos und Strudel von Gefühlen* zurücklassend. Und dennoch kann alles eine *Pose* sein. Den *Kern kann* man *nicht fassen . . .*«[19], den von June, von Henry Miller, von Norman Mailer. Etwas verwirrend, aber wenn wir den Rhythmus der Ironie erfassen, erweist sich Mailers Essay über Miller als Mailer über Nin über Mailer über . . .

Das schauspielende Selbst (der Titel eines äußerst bedeutsamen Buches, *The Performing Self*, von Richard Poirier) ist sich seines eigenen Schauspiels als Schauspiel bewußt. Das äußere Schauspiel muß nicht ein einziges wahres Selbst repräsentieren, das *hinter* dem Schauspiel steckt. Auch hier, vorgeblich wieder Miller beschreibend, schreibt Mailer: »Er entdeckt alle diese modernen Themen, die sich um die Entdeckung von sich selbst drehen. Bald wird er in die Grube fallen und erkennen, daß es vielleicht kein geologisches Fundament in der Psyche gibt, das man Identität nennen könnte.«[20]

Mit der Entdeckung, daß es kein einzigartiges substantielles Selbst gibt, entdeckt Mailer die Nichtigkeit des »Ziels« der Selbstverwirklichung.

In Mailers Abhandlung über Miller sehen wir, daß die nüchterne Annahme von einer einzigartigen eigenen Persönlichkeit an die Erfahrung eines Null-Grad-Narzißmus einfach nicht heranreichen kann. Es ist nicht eine Frage des Ichs; nicht einmal eine Frage eines *monumentalen* Ichs, da der wirklich selbstbewußte Narzißt das *Ausmaß* seiner Handlung *kennt*, und angesichts dieses Wissens verbrennt das Monument zu nichts . . . oder zerfällt in eine Vielzahl von fragmentarischen Persönlichkeiten. Es gibt keine Möglichkeit, diese Identitätsscherben wieder einzusammeln und zu einer neuen Einheit zusammenzufügen. Miller und Mailer haben dieses »geologische Fundament« für immer aufgegeben; sie sind in ein Meer vorgestoßen, wo die gewöhnlichen Annahmen über die eigene Persönlichkeit nicht mehr stichhaltig sind.

»Worin Miller sich verrannte . . . ist das völlig offene Aushandeln der Psyche, wenn zwei Narzißten sich das Gelübde der Liebe geben.« Wir finden hier nicht ein Selbst, das auf der Suche nach seiner einzigartigen Identität ist, sondern fertige Entwürfe von Charakteren, die auf der Suche nach einem Publikum und nicht auf der Suche nach einem Autor sind. »Der Narzißt ist nicht so sehr mit sich selbst beschäftigt, wie ein Selbst damit beschäftigt ist, das andere zu studieren. Der Narzißt ist der Forscher und das Experiment in einem. Andere Menschen existieren wegen ihrer Fähigkeit, diese oder jene Gegenwart für ihn aufregend zu machen.« Und weiter erfahren wir über die gefährliche Verbindung exhibitionistischer Narzißten auf der Ebene der Liebe: »Promiskuität ist die glückliche Gelegenheit, eine neue Rolle auszuprobieren.«[21]

Vor dem Hintergrund des reinen Exzesses, der auf dem Weg zum Null-Grad-Narzißmus unvermeidlich ist, ist die rasante Kehrtwende von der Einsamkeit zur Promiskuität in einem verrückten Sinne sogar einleuchtend. Schließlich schwimmen wir in den Gewässern, die Psychiater als den »primären Prozeß« bezeichnen, im Traumland des Unbewußten, wo weiß schwarz wird, wo der Weg nach oben zu dem nach unten wird und erkennbare Einhundertachtzig-Grad-Wenden weitaus üblicher sind als geringfügigere Richtungsveränderungen. *Natürlich* wird die Promiskuität der Weg sein, auf dem Narzißten das Feld der Liebe betreten, sofern sie jemals ihre heimlichen Höhlen verlassen.

Es gibt eine Verbindung zwischen der Promiskuität und der fragmentarischen Auflösung des Ichs auf seinem Abstieg zum Null-Grad-Narzißmus. Promiskuität ist ein Weg, Ausschweifungen des Eros auszuagieren, ein Verplempern der eigenen Bindungsfähigkeit, das zugleich riskant (wer weiß, wohin es führt?) und zugleich sicher ist (da Hingabe zu *einer* anderen Liebe weitaus mehr Verwundbarkeit als die Promiskuität verlangt).

Ebendiese Verbindung zwischen der Fragmentierung und den Ausschweifungen des Null-Grad-Narzißmus ist im aphoristischen Stil einiger der größten philosophischen Narzißten der Welt evident: Pascal, Kierkegaard, Nietzsche, Wittgenstein. Ein weiterer Aphorist, Randall Reid, schrieb einmal: »Ein Aphorismus über Aphorismen: Sie sind das Kennzeichen eines promiskuitiven Geistes. Ein Aphorist meidet die Philosophie, wie ein Lebemann die Ehe meidet; er hat Angst, sich in die Pflicht zu nehmen.« Und weiter: »Ich schreibe nach Lust und Laune und Anwandlungen, flirte mit den Themen so promiskuitiv, als wären sie Frauen. *Scriptus interruptus.*«[22]

Der Autor von *Am Nullpunkt der Literatur* und *Die Lust am Text*, Roland Barthes, zeigt alle diese Anzeichen: Exhibitionismus (sehen Sie sich nur seine Autobiographie an), einen aphoristischen Stil und ein ausdrückliches Bewußtsein von der fragmentarischen Diffusion seines Selbst. »In Fragmenten schreiben: die Fragmente sind dann wie Steine auf dem Rand des Kreises: ich breite mich rundherum aus, meine ganze kleine Welt in Bruchstücken; und was ist in der Mitte?«[23]

Der Punkt des Ursprungs ist so ungewiß, ihm fehlt ein »geologisches Fundament«, das »Ich« heißt, so daß Barthes' Stimme fortwährend von der ersten zur dritten Person hin- und wieder zurückspringt: »Da er es gern hat [schreibt er über sich selbst], *Anfänge* vorzufinden, zu schreiben, neigt er dazu, dieses Vergnügen zu mehren: deswegen schreibt er Fragmente: so viele Fragmente, so viele Anfänge und ebensoviele Vergnügen (doch mag er nicht, was ein Ende nimmt: die Gefahr einer rhetorischen Klausel ist zu groß: die Furcht, nicht dem *letzten Wort*, der letzten Replik widerstehen zu können).«[24] Barthes ist nicht im mindesten daran interessiert, irgendein literarisches »Ziel« zu erreichen. Es genügt ihm, immer wieder anzufangen: »Ich beginne zu produzieren, wenn ich den reproduziere, der ich gerne sein möchte.« Diese Produktion oder Reproduktion wird nicht von irgendeinem einzigartigen, autoritativen Kapitän des Schiffes gesteuert. Unter der Überschrift: »Die geteilte Person?« schreibt er: »Sie sind eine bunte Sammlung Reaktionen: gibt es in Ihnen etwas *Erstes*?« Und schließlich – was aber nicht für Roland Barthes gilt, der einen endgültigen Schluß verabscheut – vergleicht er sich und meint, er sei wie »eine Statue, die sich auflöst, oder ein Relief, das der Erosion verfällt, sich zur Seite neigt und seine Form verliert, oder besser noch: wie Harpo Marx, der seinen Bart-Pastiche unter der Einwirkung des Wassers verliert, das er gerade trinkt«.[25]

Der grandiose Null-Grad-Narzißt ist also damit einverstanden, den Verrückten zu spielen und vor seinen eigenen und aller Augen diese Blödeleien mit dem Ich anzustellen. Der Egotismus, der beim sekundären und primären Narzißmus das »Ziel« der Selbstverwirklichung vor Augen hat, läßt also zu, daß er in die »Ziellosigkeit« des Null-Grad-Narzißmus zerfällt.

*

Wenn der Narzißmus auf die Bühne oder Leinwand kommt, zeigt er sich in seinen wahren Farben und verblaßt dann und verflüchtigt sich, das zeigt die Insubstantialität des Selbst am besten. Im Symbol des Spiegelbildes von Narziß liegt eine wichtige Wahrheit über das Selbst, eine Wahrheit, die Teil der Rettung aus dem unausrottbaren Narzißmus ist. *Subjektivität ist keine Substanz.* Sie ist kein materielles Ding mit festen Dimensionen und Qualitäten. *Das Selbst ist ein Reflexionsprozeß,* dem ein substantieller, originärer Kern fehlt. Ein Reflexionsprozeß, der vielmehr eine Art des Emporhebens aus eigener Kraft ist, eine Reflexion von Reflexionen von Reflexionen, deren Ursprünge gleichermaßen flüchtig sind.

Subjektivität ist nicht irgendein selbstidentisches *Ding,* sondern ein Prozeß, der sich stets in einer gewissen Distanz zu sich selbst reflektieren muß. *Ruhm* ist der Spiegel, in dem Null-Grad-Narzißten ihr Bild reflektiert sehen möchten. Sich Ruhm als »Ziel« zu setzen setzt jedoch voraus, daß man das Gefängnis der Zurückgezogenheit verläßt. Womit dann die Bestrebungen des Null-Grad-Narzißmus zu ihrer eigenen Therapie werden. Selbstredend ist das Erreichen des »Ziels« Ruhm kein Ersatz für Intimität. Das Geben und Nehmen, das man mit einem engen Gefährten teilt, kann mit einem Fernsehpublikum nicht geteilt werden. Aber die öffentliche Anerkennung ist eine Anerkennung durch *irgendeinen* anderen, und das ist zumindest ein Anfang für Selbstbewußtsein.

Hegel formulierte es so: »Das Selbstbewußtsein ist *an* und *für sich,* indem und dadurch, daß es für ein Anderes an und für sich ist; d. h. es ist nur als ein Anerkanntes.«[26] Einfacher ausgedrückt, beim Selbstbewußtsein ist ein gewisser »Glöckchen«-Effekt im Spiel. Sie erinnern sich an Peter Pans kleine Freundin »Glöckchen«, deren Leben und Licht zu erlöschen drohte, wenn das Publikum nicht klatschte. Wir sind alle ein wenig so. Kein Wunder, daß wir versuchen, uns von Zeit zu Zeit etwas von unserem Applaus zu holen. Aber ... die Bescheidenheit verbietet es. Und ebenso die Gesellschaftskritiker. Unser kulturelles Erbe steht dem, was die Buddhisten die »in sich und an sich selbst existierende Freude« nennen, zwiespältig gegenüber. Die US-amerikanische Kultur baut zwar einerseits auf einer individualistischen Tradition auf, in der die Rettung eine persönliche Frage und nicht die des Stammes ist; aber Egalitaristen nehmen andererseits Anstoß daran, wenn irgendeine Person sich über andere erhebt. Die Rechte und Freiheiten des Individuums sind heilig, aber das Individuum, das seine eigenen Rechte befördert, ist irgendwie ein Streber und aufdringlich. In einem gewissen Sinne haben die Gesellschaftskritiker recht, aber man bleibt am Ende mit dem unguten Gefühl zurück, widersinnig beschimpft zu werden.

Die US-amerikanische Kultur kann die Menschen nicht zu narzißtischen Gewässern führen und dann erwarten, daß sie ihre Spiegelbilder nicht in sich aufsaugen. Die US-amerikanische Kultur kann nicht Milliarden für Werbung ausgeben, in der glitzernde Selbstbilder kultiviert werden, und dann den Spiegel wegreißen, wenn die Mitgliederzahlen der politischen Parteien zurückgehen. Statt als puritanische Mahner gegen die »Selbstverherrlichung« anzutreten, wie der Harvard-Soziologe Daniel Bell, sollten die Gesellschaftskritiker *gesellschaftliche Enthusiasten* werden – Rattenfänger von Hameln, die die Narzißten aus ihrer Zurückgezogenheit herauslocken, statt sie in den ausweglosen Canyon des tertiären Narzißmus zurückzustoßen. So könnten sie viel mehr erreichen. Das anti-narzißtische Klagelied inspiriert uns nicht. Es ist eine Beerdigungsprozession für die utopischen Werte des achtzehnten und neunzehnten Jahrhunderts.

Narzißten, vereinigt euch!

Eine positive Alternative zum Narzißmus muß ihre Stärke und Anziehungskraft aus ebenjenen gesellschaftlichen Kräften beziehen, die den Narzißmus so populär machen. Die überholte Ethik der Aufklärung aus dem achtzehnten Jahrhundert, die Idealisierung der *Gemeinschaft,* genügt dazu nicht. *Differenzierung* heißt das Spiel in diesem Jahrhundert, im Informationszeitalter: *Unterschiede, die einen Unterschied machen.* Die Identitätssuche erfolgt nicht über die Identifizierung mit der ganzen Menschheit, sondern über geteilte Differenzierungen: *Wir* tragen Nadelstreifenanzüge, *wir* rasieren unsere Köpfe, *wir* fahren Motorroller, *wir* lieben Garfield, die Katze.

Im Extremfall, so wie es auch bei gesellschaftlichen Bewegungen passiert, geht dieser Differenzierungsprozeß vom *Wir* aufs *Ich* über. Lord Byron und andere Dandys des neunzehnten Jahrhunderts waren die Vorwegnahmen eines Trends, der inzwischen seine hochgezogene Augenbraue gesenkt hat. Heute kann sich fast jeder eine Identitätskrise leisten, nicht nur die Elite, die Goethes *Die Leiden des jungen Werthers* lesen konnte. Wenn die kulturelle Verbreitung dieses Prozesses jedoch nur in ihrer hervorstechendsten Form – zum Beispiel bei isolierten, zunehmend narzißtischen *Individuen* wie Howard Hughes – gesehen wird, verkennt man die Bedeutung eines eng verwandten Phänomens: die gesellschaftliche Bindung, die auf dem geteilten Stolz auf das *Anderssein* beruht.

Es gibt viele Gemeinschaften mit jeweils gemeinsamen Interessen. Diese Vielzahl ist ein Zeichen dafür, daß wir uns über die absolute Abhängigkeit von der Natur hinausentwickelt haben. Wir haben unseren Verstand und unsere Vorstellungskraft genutzt, was nicht überall das gleiche hervorbringt und auch gar nicht sollte. Die Menschen knobeln für sich, allein und in Gruppen, verschiedene Wege aus, um, so wie die Dinge kommen, jeweils das Beste aus dem Spiel des Lebens zu machen. Und das ist in Ordnung so. Das wird Freiheit genannt. Es ist geschickt und kunstvoll. Es ist die Praxis, ohne ein »Ziel« zu leben.

Narzißmus ist eine extreme und besonders negativ zurückschlagende Form des breiten historischen Trends einer zunehmenden Differenzierung und Artikulation des menschlichen Geistes. Wenn man den Narzißmus als ein *Zuviel von einer guten Sache* statt eine rundweg »Schlechte Sache« versteht, bietet seine gegenwärtige Blüte eine gewisse Hoffnung, nämlich zu lernen, ohne ein vorherbestimmtes »Ziel« zu leben.

Die historischen Trends, die zum Narzißmus führten, können auch Inseln der Solidarität unterstützen. Wenn Sie dem Null-Grad-Narzißmus zur Insubstantialität des Selbst folgen, sehen Sie, daß die Selbstliebe sich am Ende in den gesellschaftlichen Reflektionsmustern ausbreiten muß, die das Selbst konstituieren. Wenn Sie sich an die Öffentlichkeit wenden, sehen Sie das Selbst als ein Muster von Beziehungen der wechselseitigen Anerkennung. Das Zelebrieren des Selbst wird ein Lied für die anderen, nicht um der Selbstverherrlichung willen, sondern um des Nutzens gemeinsamer Akte der kunstvollen Selbstschöpfung willen.

Der Mythos von Narziß gewinnt nunmehr eine neue Bedeutung. Statt eine Sackgasse zu markieren, offenbart sich der Narzißmus als ein Übergang. Schließlich ist der Mythos eine Geschichte über Tod und Verklärung. Selbst der primäre und sekundäre Narzißmus haben, wenn ihnen kursgetreu gefolgt wird, in jedem Fall ein halbes Leben. Welcher Teil von uns auch immer die totale Einsamkeit will, dieser Teil muß im buchstäblichen oder metaphorischen Sinne verhungern und sterben – wie Spike, der mythische Narziß oder der reale Howard Hughes. Da das postmoderne Selbst wie ein polytheistisches Pantheon mit mehreren Persönlichkeiten, mehreren Geschichten ist, muß der Kulminationspunkt des eigenen Narziß auch nicht unbedingt mit dem Tod des ganzen inneren Pantheons von Persönlichkeiten verbunden sein.

Die realen Gefahren, die mit dem Narzißmus verbunden sind, sollen weder heruntergespielt noch entschuldigt werden, aber der Ausweg könnte vielleicht darin bestehen, das Drama bis zu seinen harmlosen Ursprüngen bei der Null-Grad-Marke zurückzuspielen: mit der Annahme, Bejahung und Darstellung der Selbstliebe. Wir können den unausweichlichen Tod jenes Teils von uns überleben, der nach der einsamen Befriedigung strebt, weil jeder von uns mehr ist und hat als nur eine Handlungslinie.

Das Schlimmste, was der narzißtischen Persönlichkeit widerfahren kann, ist eine Lähmung. Es hat keinen Zweck, Narziß von seiner Quelle fernzuhalten. Wo sonst sollten ihm die Grenzen seines Charakters deutlich werden? Das Kritikergeschrei gegen den Narzißmus soll wohl eine Therapie sein, doch in Wirklichkeit klingt es eher nach strafenden Eltern, die ihrer Tochter am Tisch Vorhaltungen machen: »Spiel bei mir nicht die Magersüchtige! Iß auf!« Was wohl keine gute Therapie ist.

Wir sollten nicht über den Narzißmus lamentieren und in die Klagelieder einstimmen. Ich möchte T-Shirts sehen, die verkünden: »*Ich bin ein Narzißt und stolz darauf!*« Narzißten der Welt, vereinigt euch! Ihr habt nichts zu verlieren als euren Narzißmus. Und zu gewinnen?

Felder von goldenen Herzen.

Wie Howard Hughes
wegen unserer Sünden starb

Vielleicht braucht man eine gewisse Ruhe-
losigkeit, einen kleinlichen Widerstand, um
die einschmeichelnde Ungeheuerlichkeit
des egotistisch Sublimen zu bewundern
und sie gleichwohl zu bemerken; vielleicht
nur ein Gespür, wie das Leben funktioniert.

Thomas Weiskel, *The Romantic Sublime*[27]

Kapitel 5

Nachdem man Hughes' Leiche aus seiner letzten Hotel-suite in Acapulco entfernt hatte, bauten Gehilfen die Film-leinwand, den Projektor und die Tonanlage ab. »Es gab keine andere persönliche Habe von Hughes, um die man sich hätte kümmern müssen«, schreibt James Phelan in *Howard Hughes: The Hidden Years.* »Er hatte keine Pho-tographien, keine Erinnerungsstücke, keine Lieblingsge-mälde, keine hochgeschätzten Bücher, nichts von all dem sentimentalen Ballast, den die Menschen normalerweise von Ort zu Ort mit sich herumschleppen. Der Mann, des-sen Holdings jede Vorstellung überstiegen, besaß keine Kleidung – nur einen Bademantel, seinen altmodischen Stetson, einen breitkrempigen Hut, ein paar Pyjamas und einen kleinen Bestand von sonderangefertigten Shorts mit Kordeln zum Zuziehen. Zu seiner langen Liste mit Tabus gehörten auch Shorts mit Knopf- oder Druckknopfver-schlüssen. Er besaß keine Kleidungsstücke, weil er keine Kleidung trug. Über zehn Jahre lang war er nackt oder nur mit seinen Kordel-Shorts bekleidet in seinen abgedunkel-ten Schlafzimmern herumgeschlurft.«[28]

Nichts von dem sentimentalen Ballast ...! Wie konnte Howard Hughes, der »alles hatte«, so mit nichts enden? Oder, um diese Tragödie auf den Kopf zu stellen und eine Lektion in diesem epischen Leben und Tod zu finden, wie hilft die Geschichte von Howard Hughes uns, der Logik des Todes und der Verklärung von Narziß zu folgen, und zwar nicht im Sinne einer mythologischen Abstraktion, sondern als konkrete Erzählung über den Versuch, im zwanzigsten Jahrhundert die Kontrolle über das eigene Leben zu gewinnen?

In diesem Kapitel möchte ich mich auf die »Ungeheuer-lichkeit des egotistisch Sublimen« konzentrieren, wie es das Leben von Howard Hughes demonstriert. Die nachfolgenden Kapitel gehen dann mehr darauf ein, »wie das Leben funktioniert«. Der Punkt ist, jene Kräfte zu erkennen, die einen Mann zum Narzißmus treiben, wenn die *dingliche* Ausstattung des Alltagslebens mit ihren relativ scharfen Grenzen in *Symbole* ummodelliert wird, die sowohl sublim als auch mehrdeutig sind. Hughes' Geschichte zeigt äußerst plastisch die Widersprüche seiner Zeit: Materialismus und Narzißmus im Zwielicht des Industriezeitalters. Tempo, Privatleben, Fliegen, Schönheit, Hollywood, Reichtum ... er spielte nicht nur die maßgebenden Melodien von Amerikas zwanzigstem Jahrhundert, *er half, die Partituren zu schreiben.*

Sein Leben war in einer Weise ein mustergültiges Beispiel. Es lohnt sich, es angesichts unseres ständigen Strebens nach »Zielen« als Frühwarnsystem genauer zu betrachten. Gerade weil wir diese »Ziele« vielleicht gar nicht haben wollten, wenn wir sie verwirklicht sehen könnten. Er erreichte die »Ziele« von Reichtum und Ruhm und Macht und starb den Tod eines Einsiedlers. Eingesperrt hinter den hohen Mauern seines selbstauferlegten Exils vor anderen Menschen, siechte er in seinen letzten Jahren buchstäblich in der Angst dahin, durch irgendeinen Fremdkörper infiziert zu werden.

Genau wie Howard Hughes lebt der Null-Grad-Narzißt gefährlich, da Narzißmus potentiell fatal ist. Er tritt zwar normalerweise in Form von ständiger, wenn auch längst nicht totaler Einsamkeit auf, die sich perfekt darauf versteht, sich den prüfenden Blicken der Öffentlichkeit zu entziehen. Aber der Narzißmus kann dennoch jederzeit auflodern. Dann verschwinden nette Menschen, Stützen der Gesellschaft, mit einemmal und bleiben den üblichen Sitzungen fern, nur um dann Wochen später, umgeben von Bergen von Videokassetten, zerknüllten Blättern und den Krümeln von Unmengen von Junk-Food wiedergefunden zu werden. Sie sind den Verlockungen Hollywoods und ihrer eigenen Gesellschaft erlegen, eine Kombination, die in Teilen der heutigen Welt, wie in Los Angeles oder Manhattan oder Lost Ford in Montana, nahezu unschlagbar ist.

Hughes' Geschichte ist insofern lehrreich, als sie die Gefahren einer Entwicklung zeigt, die beim Überqueren des engen Passes durch den Null-Grad-Narzißmus stehengeblieben ist. Hughes war ein Meister im Wirtschaften mit dem Sublimen: Er baute sein Vermögen auf Geschwindigkeit (Flugzeugindustrie) und Unterhaltung (Filmindustrie) auf – die beide eher sublim als materiell sind. Aber am Ende wurde er durch seine Leidenschaft für *Kontrolle* besiegt.

Wie führte sein Streben nach Geschwindigkeit, Schönheit, Reichtum und Ruhm zum langsamen Verfall in die existentielle Armut und Einsiedelei? *Zielgerichtetes Verhalten und instrumentelle Rationalität*, das ist die Antwort auf die Frage nach dem Wie. Hughes' Leben zeigt die Gefahren einer bestimmten zielgerichteten Mentalität, die im Bereich des Sublimen die instrumentelle Manipulation und Kontrolle auszuüben versucht, die einst im Bereich der materiellen Dinge möglich war. Howard Hughes wurde, mit einem Bein im Industriezeitalter und einem Bein im Informationszeitalter, noch vor uns von der Verwirrung eingeholt, die ihn zerstörte.

*

Hughes erbte ein bescheidenes Vermögen von seinem Vater, der die Hughes Tool Company gegründet hatte. Er nutzte die Möglichkeiten der Werkzeugfabrik, um Flugzeuge zu bauen. Er flog als sein eigener Testpilot, brach Geschwindigkeitsrekorde und überlebte mehrere Bruchlandungen. Hughes war mit der Gründung und dem Aufbau von TWA einer der Architekten der Luftverkehrsindustrie. Als ob eine steile Karriere nicht genügte, machte er sich auch noch einen Namen als Hollywood-Tycoon, Filmproduzent und einer derer, die Stars machen.

Aber das sind nur die Fakten. Wesentlich interessanter sind die Schrullen: seine Leidenschaft für die private Zurückgezogenheit, seine verrückten Stunden, die ihn über die langen Phasen manischer Aktivitäten hinweg wachhielten, wie er Kollegen zu jeder Tages- und Nachtzeit anrief, sein wiederholtes mysteriöses Verschwinden, etwa als er einen Job als einfacher Gepäckträger bei der Fluglinie annahm, die ihm selbst gehörte.

Aber gerade darin, wie und wo er vorzugsweise seine Zeit verbrachte, wenn er »verschwand«, können Schlüssel zu seinem Charakter gefunden werden. Wie ist zum Beispiel zu interpretieren, daß er zusammen mit einem Freund wochenlang im Südwesten herumflog und Aufsetz- und Durchstartlandungen auf abgelegenen kleinen Flugplätzen übte? Eine Teilantwort: Der Südwesten hat einen Reiz von Unpersönlichkeit, der den Narzißten anzieht. Was damit gemeint ist, können Sie in den Szenen bei den Ölbohranlagen in dem Film *Ein Mann sucht sich selbst* sehen. Sie können es in Jean Baudrillards Buch *Amerika* sehen, in dem der Reiz der freien Straße durch die Wüste so stark wie in keinem Text seit Kerouacs *Unterwegs* beschrieben wurde. Zur narzißtischen Bruderschaft gehört auch der Einsame und Ranger, der sich nicht umsonst in den Südwesten begibt. Es ist ein Ort, an dem man leicht die *anderen*, die einem auf die Nerven gehen, meiden kann.

*

Howard Hughes betete die Geschwindigkeit und die Schönheit . . . und das Geld an. Was könnte typischer sein für das Amerika des zwanzigsten Jahrhunderts? Er vergnügte sich mit vielen Frauen und starb allein. Er wurde sagenhaft reich und verlor wie König Midas die Fähigkeit, seinen Reichtum zu genießen. Er konnte alles haben, was er wollte, und endete damit, daß er Mormonen engagierte – weil sie die einzigen waren, denen er vertraute –, um Fliegen zu fangen und sie mit Handschuhen und Kleenex aus seinem Zimmer zu entfernen.

Er brauchte auch Personal, um den Filmprojektor zu bedienen. Jahrzehnte vor der Erfindung des Videorekorders schaute Hughes sich Filme als Ein-Mann-Publikum an. Lange bevor es Videos gab, zog er sich in seine Elektronikhöhle zurück, um allein dazusitzen und sich alte Filme anzusehen. Was Millionen heute selbstverständlich machen können, bewerkstelligte er mit seinem eigenen Projektor. Sein Zimmer war mit Stapeln sperriger Fünfunddreißig-Millimeter-Filmkassetten vollgestopft. Als man nach seinem Tod entdeckte, daß er sich regelrechten Orgien mit alten Filmen hingegeben hatte, betrachtete man diese bis dahin absolut unbekannte Praxis als ein klares Zeichen von Wahnsinn. *Was? Allein einen Film ansehen? Filme sieht man sich im Kino an. Fernsehen sieht man sich alleine an.* Heute, da die meisten Haushalte einen Videorekorder haben, kennen viele das Vergnügen, dem Hughes sich hingab. Sein »Wahnsinn« wurde durch das Aufkommen des Videorekorders demokratisiert.

Lange ehe das Wort »cocooning« in Umlauf kam, hing Howard Hughes den ganzen Tag in seinen Pyjamas im Haus herum. Das machen heute die anderen, nicht mehr nur die reichen Müßiggänger, sondern die Arbeiter, die in ihre »Einpersonenhaushalte« nach Hause kommen. 1990 belief sich die Zahl dieser Haushalte in den Vereinigten Staaten auf annähernd dreiundzwanzig Millionen, ein Zuwachs von fünfundzwanzig Prozent seit 1980. Zum erstenmal in der Geschichte der Menschheit leben sehr viele Personen völlig allein. Was machen sie mit sich, so völlig den Blicken anderer entzogen? Wie verbringen sie ihre Zeit? Welche Kleidung tragen sie, wenn sie sonst niemand sehen kann? Welchen Vergnügungen geben sie sich hin? Welchen Formen der Selbstbefriedigung?

Hier ist es, wo die Grenze des Menschseins entschieden wird: In Millionen von Privatleben, in denen die Kunst, das unmittelbar greifbare Stückchen Zukunft zu schnitzen, von Millionen von Amateurkünstlern praktiziert wird, die jetzt durch die Isolation von den mißbilligenden Blicken *anderer* befreit sind. Nicht in öffentlichen Räumen, nicht bei Abkommen und Verträgen, nicht in den Gebilden aus Stein und Mörtel oder Stahl und Kunststoff, sondern an den privaten und abgeschiedenen Orten, wo die Menschen ihrer Phantasie freien Lauf lassen können – dort verbringen sie ihre Zeit, indem sie mit Freunden telefonieren, oder sie sehen fern oder Videofilme, machen Gartenarbeit oder Sport oder beliebige andere Dinge, die sie zu Hause gern machen. Und welche Dinge sind das? Hier werden wir Antworten auf die Fragen finden, die wir vielleicht hinsichtlich der Zukunft der menschlichen Gattung haben. Und hier, in der privaten Höhle des Narzißmus des zwanzigsten Jahrhunderts, war Howard Hughes ein Pionier, ein Testpilot in den erhabenen Himmeln des Privaten.

Aber Hughes stürzte ab.

Warum?

Die Leidenschaft für Kontrolle

Hughes behandelte Menschen – insbesondere schöne Frauen – genauso, wie er Flugzeuge behandelte: mit einer Leidenschaft für Perfektion und Kontrolle, die allerdings mit dem Leben, so wie es tatsächlich funktioniert, nicht vereinbar ist. Eine der Lektionen, die wir von Howard Hughes lernen können, ist, daß sich die instrumentelle Rationalität, die sich in der Technologie auszahlt, in menschlichen Beziehungen nicht bewährt. Sein Perfektionismus in der Technologie zahlte sich aus. Indem er dreißigtausend Nieten und Bolzen mit runden Köpfen, die an der Außenhaut seines Flugzeugs einen erheblichen Luftwiderstand hervorriefen, durch solche mit abgeschliffenen Köpfen ersetzte, gelang es Hughes, den Geschwindigkeitsweltrekord für Überlandflüge zu brechen. Aber seine Suche nach der perfekten Frau wurde dadurch vereitelt, daß er dasselbe Paradigma der Perfektion auch auf seine persönlichen Beziehungen anzuwenden versuchte. Er suchte die *perfekte Schönheit* und war besessen von Hollywoods Starlets und der *perfekten Aufnahme*. Die gleiche Aufmerksamkeit fürs Detail, die er auf seine Flugzeuge verwendete, um sie schneller zu machen, verwendete er auch auf die Herstellung von Jane Russels BH für seinen Film *Der Gesetzlose,* in dem ihr bebender Busen oft einen Blickfang für die Kamera liefert.[29]

Nach der sechsundzwanzigsten Aufnahme einer Szene bei den Dreharbeiten von *Der Gesetzlose* beklagte sich einer der zermürbten Hauptdarsteller: »Lieber Mann, Gefühle kann man nicht so lenken wie Flugzeuge. Ich kann nicht eine zerrupfte Reihenfolge von Szenen spielen. Wir versuchen, hier eine bestimmte Atmosphäre zu schaffen, und Sie, Sie verhalten sich so, als handle es sich bei den Dreharbeiten um ein wissenschaftliches Experiment. Ein solches Vorhaben können Sie nicht angehen wie ein Ingenieur.«[30] Aber genau das war es, was Hughes versuchte – und was in weiten Teilen die angewandten Sozialwissenschaften im zwanzigsten Jahrhundert versuchen.

Hughes gestand einmal, daß er an anderen Menschen überhaupt nicht interessiert sei, was ihn wesentlich mehr interessierte, sei »jede Art von Wissenschaft, die Natur in ihren verschiedenen Ausdrucksformen, die Erde und die Bodenschätze, die ihr entspringen«, das heißt, *Materie und Technologie.*[31]

Wie Hughes' Ende demonstriert, führt der materialistische Wille, den eigenen Besitz zu *maximieren,* in der Kombination mit der Besessenheit, alles technisch zu kontrollieren, schließlich zu einem Minimalismus, der die eigene Umwelt von allem leert, was die Perfektion bedrohen könnte. In diesem Extrem ist sauber nie sauber genug, egal, wie viele Fliegen von Mormonen entfernt werden. Leer ist nie leer genug. Minimal ist nie minimal genug. Weil dazu, »wie das Leben funktioniert«, auch immer ein gewisser Rest des ursprünglichen Chaos gehören wird, eine gewisse Störung der Askese, eine gewisse Beeinträchtigung der reinen Formen. Ich werde später auf die Frage zurückkommen, wie und warum die chaotische Art und Weise, wie das Leben funktioniert, zwangsläufig das »Ziel« der totalen Kontrolle vereiteln muß. Zunächst möchte ich jedoch Howard Hughes durch die nächste Stufe der narzißtischen Reflexion folgen: seiner Liebes-/Haßbeziehung zum Ruhm.

Ruhm

Der Tod und die Verklärung von Narziß folgen *den Stationen der Erkenntnis:* Wir werden so, wie wir uns widergespiegelt sehen, *und es gibt verschiedene Ebenen, verschiedene Stufen der Reflexion.*

Narzißmus ist von vorne bis hinten eine Frage der *Reflexion.* Erstens und im Wortsinn geht es bei dem Narziß-Mythos um das widergespiegelte Gesicht. Aber sich selbst im Spiegel anzustarren wirkt mit der Zeit etwas veraltet – insbesondere wenn das eigene Gesicht altert. So sieht man sich dann zweitens im Spiegel seiner materiellen Besitztümer. Man strebt nach Reichtum, nicht einfach, um etwas zu besitzen, sondern um den eigenen Wert als Person im Spiegel seines Eigentums zu sehen. Und nach dem tatsächlichen Spiegel und den materiellen Besitztümern wird schließlich die öffentliche Anerkennung zum dritten der Spiegel.

Im Unterschied zu materiellem Besitz scheint Ruhm zunächst eine leichte Bürde zu sein. Aber der Verlust der Privatsphäre gehört zu den unangenehmen Begleiterscheinungen des Ruhms. Howard Hughes litt definitiv un-

ter einer Liebes-/Haßbeziehung zum Ruhm. Seine Zunei-
gung zu Katharine Hepburn beruhte zum Teil auf ihrer
gemeinsamen Obsession, sich immer wieder ins Private zu-
rückzuziehen. Dennoch genoß er die Konfettiparade auf
der Fifth Avenue, nachdem er den Geschwindigkeitsre-
kord für Überlandflüge gebrochen hatte. Aber er haßte das
Eindringen der *Paparazzi* in seine Privatsphäre.
Ist Ruhm für die meisten von uns Sterblichen ein zu
ehrgeiziger Plan? Überhaupt nicht, denn es gibt viele Wege
zum Ruhm, von denen einige allerdings weniger edel als
andere sind. Vandalen und Graffitikünstler gewinnen eine
Art öffentliche Anerkennung, ob es uns gefällt oder nicht.
Und die heutigen Medien können die armseligsten Figuren
»über Nacht« in die Schlagzeilen katapultieren und ihnen zu nationaler Anerkennung verhelfen. Andy Warhol
brachte es auf den Punkt: Heutzutage kann jeder für fünfzehn Minuten berühmt sein. Warhol wurde, wie es hieß,
berühmt, weil er berühmt war – eine nette Form der
Selbstempfehlung. Natürlich war er ein Künstler und arbeitete besessen an seiner Kunst. Aber ein Teil des Warhol-
Phänomens waren seine Auftritte in den Medien, immer
am richtigen Ort und immer mit den richtigen Leuten. Zu-
sätzlich zu seiner Kunst – oder vielleicht auch als Teil davon – schuf er ein *Image*.

Narziß und die Liebe

Nach der zweiten und dritten Stufe der narzißtischen Reflexion – dem materialistischen Spiegelbild und der Reflexion
des eigenen Images im Spiegel des Ruhms – sieht das sich
entwickelnde Selbst sich durchaus nicht als den Mann, der
alles hat, oder als hohes Tier, sondern als ein Subjekt und
Objekt der *Begierde*. Das Selbst erkennt schließlich, daß es
wegen mehr als nur dem, was es *hat*, anerkannt werden
muß. Es muß anerkannt werden wegen dem, was es *ist*

oder was es sein wird. Und das ist dann der Punkt, an dem weder das Gesicht der ersten Stufe noch das Image des Mannes, der alles hat, der zweiten Stufe noch der öffentliche Beifall der dritten Stufe genügen. An diesem Punkt braucht das Selbst eine komplexere, vermittelte Reflexion, um sich selbst zu sehen und damit mehr und umfassender das zu werden, was es sein möchte. Weder die gestutzte Augenbraue noch die gestutzte Hecke genügen, um das reflektierte Bild und damit die Realität des postmaterialistischen Narzißten zu verbessern. Liebe oder Heiligkeit, darunter wird am Ende nichts mehr ausreichen. Aber genau das war es, an dem Howard Hughes scheiterte, da er sich auf die Liebe nicht sonderlich verstand. Bewunderung und Kontrolle waren mehr sein Fall. Keine Frage, daß er Frauen nach seiner Fasson liebte. Er konnte fast jede Frau haben, die er wollte, und es waren nicht gerade wenige, mit denen er sich vergnügte. Er konnte sich genüßlich der Bewunderung ihrer Schönheit hingeben und Szenen nochmals und nochmals drehen, die die Schönheit seiner Göttinnen für alle Ewigkeit auf Zelluloid einfingen. Und welche Schönheiten! Nicht nur Jane Russel, sondern auch Jean Peters, Katharine Hepburn, Jean Harlow, Ava Gardner und die schöne *Puella*, der Kinderstar Faith Domerque, in die er sich »verknallte«, als sie gerade fünfzehn war, und die er jahrelang auf der Lohnliste hielt, ohne sie jemals in einem Film einzusetzen.

Es gibt jedoch kaum Belege, daß er in puncto Intimität besonders gut war. Das Bedürfnis nach instrumenteller Kontrolle ist mit der Verwundbarkeit, die Intimität verlangt, nicht vereinbar. Daß die Form über die Materie, der Geist über den Körper, der Mann über die Frau dominiert, war sicher sein Credo. Partnerschaft war für ihn ein Fremdwort. Und dazu paßte es durchaus auch, daß er sich zu kleinen Mädchen wie Faith Domerque hingezogen fühlte, bei denen er seine Pygmalion-Phantasien der vollständigen Kontrolle ausleben konnte.

*

Es gibt kaum Belege über irgendeinen Spiritualismus von Howard Hughes. Aber hier könnten wir uns täuschen. Verwiesen sei nur auf die unheimliche Ähnlichkeit von Hughes' Endzustand und dem manches östlichen Heiligen oder Mystikers. Er wählte das Eremitentum. Er baute sich sein eigenes weltliches Kloster. Er enthielt sich der meisten Nahrungsmittel und war schließlich nur noch Haut und Knochen. Er war frei von jeder Bindung an persönlichen Besitz. Er trug nur die denkbar leichtesten und weichsten Kleidungsstücke. Er verbrachte Stunden mit der einsamen Anbetung bestimmter Idole, nur daß er sich anstelle von Buddha seinem Film *Eisstation Zebra* hingab, den er sich einige hundertfünfzig Mal wie ein unendlich langes Mantra ansah. Wie manche der heiligen Männer schnitt er auch nie seine Fingernägel. Seine letzten Lebensjahre dürften denen der alten Weisen durchaus sehr ähnlich gewesen sein.

Natürlich könnten Sie Hughes als jemanden abtun, der einfach verrückt war. Aber dann müßten Sie auch auf den Irrsinn der Weisen eingehen. Wir wissen, daß er am Ende bestimmte Sätze ständig wiederholte, was ein bekanntes Symptom einer zwanghaften Besessenheit ist. Aber wiederholen die Weisen nicht auch ihre Mantras immer und immer wieder? Ob geistig gesund oder verrückt oder beides, zweifelsfrei sind bestimmte Ähnlichkeiten zwischen Hughes und den Weisen nicht zu bestreiten. Stellen wir uns einmal einen Monolog aus Howard Hughes' narzißtischen Reflexionen vor.

Stellen wir uns vor, wie der zusammengeschrumpfte Howard Hughes über sich selbst nachdenkt: *Du hast nun die ganze Zeit gedacht, du seist ein Individuum, aber zu deiner Überraschung stellst du jetzt fest, daß du das Auge Gottes bist.*

Du dachtest, du seist einfach ein Individuum, aber die ganze Zeit war dein bewußter Geist, dein individueller

*Geist sich all der Herrlichkeiten und Sünden der Welt abso-
lut nicht bewußt, die du in deinem Windschatten mit dir
herumgeschleppt hast.*

*Du dachtest, du seist allein, und dann entdecktest du, als
du in den Spiegel des Kosmos sahst, daß hinter dir, an dich
gebunden, deinen Hinterkopf bildend, all die Schmerzen
und das Leid waren, all die Brillanz, all die Gesetze der
Natur, all die Trivialitäten und Zufälligkeiten, die die Risse
und Sprünge dieser Welt füllen.*

*Du dachtest, du seist allein, doch sobald du in den Spie-
gel des gesamten Kosmos schautest, sahst du, daß dort hinter dir, dort an dich gebunden, dort als Teil von dir all die
Seelen waren, die jemals einen Atemzug taten und lebten
und starben, alle lebenden Kreaturen, groß und klein.*

*Du dachtest, du seist einfach ein Individuum, doch so-
bald du dein Bild im Spiegel des Kosmos anschautest, entdecktest du, daß es keine Individualität gibt, daß Individualität eine Illusion ist, ein Traum, der durch den Schlag
der gewöhnlichen Wachheit hervorgerufen wird.*

*Du dachtest, du seist ein Individuum, aber dann ent-
decktest du, daß all deine Gedanken auf einem Netz ge-
sponnen waren, das sich durch all die Worte in all den Sprachen, die jemals gesprochen oder geschrieben oder gesungen
wurden, in die Unendlichkeit erstreckt.*

*Du dachtest, du würdest dich von anderen unterscheiden
und abheben, und dann entdecktest du, daß jede Bewegung, die du machst, all den physikalischen Gesetzen gehorcht, denen jede andere Handlung, jedes andere Ereignis
in genau der gleichen Weise gehorcht, und du spürtest die
Harmonie, die alle Wesen miteinander teilen.*

*Du dachtest, du seist ein Individuum, aber dann ent-
decktest du, daß die Grenzen deiner Individualität so
dünne, so flüchtige Membranen waren, daß deine neue
Vision von Einheit und Einssein sie wegsprengte, wie die
fliegenden Blechteile bei jenen Flugzeugen, mit denen du
abgestürzt bist.*

*Du weißt, was passiert, wenn diese Mormonen den Film-
projektor ausgehen lassen, aber die Lampe anbleibt: Das
Bild auf der Leinwand bleibt stehen, dann fängt durch die
Hitze der Projektorlampe der Film an zu verbrennen. Es
fängt in der Mitte an, und dann wird das Loch größer, so
wie das Zelluloid unter der Hitze der Lampe verglüht.
Und schließlich wird die Leinwand ganz weiß.
Genauso ist es, wenn die Grenzen des Selbst wegge-
brannt werden. Ein weißes Licht durchflutet deinen Geist,
und du kannst nur noch einfältig in den Himmel starren.
Aber die Unterschiede kommen wieder. Die verdammten
Mormonen wachen auf, kleben den Film zusammen und
schalten den Projektor wieder an. Die Dinge werden wieder scharf. Nachdem du die Einheit aller Dinge gesehen
hast, sind die gleichen alten Dinge noch immer alle da:
Müll und Leid, Flugzeuge und Opern, Löffel und Elefanten. Nichts verschwindet, und nichts verändert sich. Aber
deine Erfahrung vom Ganzen und dein Platz darin ist eine
andere bzw. ein anderer. Du bist verbunden. Du bist nicht
einfach mehr »du«, so wie du dich vorher verstanden hast.
Vielmehr weißt du jetzt, daß dein gewöhnlicher wacher
Geist der wachsende Zipfel einer Geschichte ist, die wesentlich mehr mit einschließt, als du jemals bewußt bedenken
kannst. Du weißt, wenn du ein anderes menschliches Wesen
berührst, so ist es, als ob ein Teil des Ganzen ein anderes
berührt, kosmischer Narzißmus!*

*Wenn du schließlich aufwachst und das Ausmaß deiner
Verbundenheit siehst, wirst du einen unendlichen Frieden
in dir empfinden. Denn, wie könntest du jemals durch die-
ses unendliche Netz fallen, wenn du doch Teil ebendieses
Netzes bist. Aber dieser Friede wird nicht anhalten, denn
schon bald wirst du merken, daß ein Teil dessen, was dieses
Netz von Beziehungen enthält, ebenso Schmerz wie auch
Freude ist, Leid wie auch Vergnügen, und daß der be-
grenzte Teil vom Ganzen, der in dem Körper mit deinem
Namen residiert, sich ebenso in den Abgründen wie auf den*

Höhen wiederfinden kann. Die Erleuchtung bewahrt dich nicht vor dem Absturz, wenn du nicht richtig fliegst. Somit verändert sich in einem Sinne also nichts. Die Gesetze der Natur bleiben dieselben. Die Grammatikregeln bleiben dieselben. Die ganze Geschichte, die sich je ereignete, bleibt dieselbe. Aber zugleich ist alles anders. Du bist nicht mehr allein, auch wenn dein Körper altern und unabhängig von allen anderen Körpern sterben wird. Du bist nicht mehr allein, auch wenn kein anderer für dich deine Einkommenssteuern bezahlen wird. Du bist nicht mehr allein, auch wenn einige deiner Geheimnisse allein deine Geheimnisse sind. Die alltäglichen Ausschmükkungen der Individualität werden weiterhin unberührt bleiben, und die Macht deiner Vision wird keine Mauern durchbrennen. Dein Bizeps wird nicht größer sein, und dein Namensgedächtnis wird nicht unbedingt besser sein.

Aber sobald du einmal deine Verbundenheit mit allen Dingen erfahren hast, wirst du vielleicht ein wenig würdevoller sein. Du kannst vielleicht einfach ein wenig tiefer atmen, und du wirst vielleicht etwas weniger Erkältungen bekommen. Ja, es gibt psychosomatische Effekte, die mit dem Frieden verbunden sind, der über alles Verstehen hinausgeht, aber nicht so weit geht, daß auch der Sprung von hohen Gebäuden mit einbezogen wäre.

Narziß entdeckte diese Dinge nie, da er nur sein physisches Bild betrachtete. Sein sublimes Bild hatte er noch nicht gesehen. Aber stellen Sie sich vor, daß Howard Hughes bei seinen einsamen Meditationen diese Dinge erkannte.

Leben für die Liebe

Die Liebe ist ein pathologischer Zustand, aus dem wir, mit etwas Glück, alle wieder herauskommen.

Paul Goodman, im Gespräch 1962

Immer lebten und starben wir ohne das Gefühl, daß der Planet älter wird, daß Mutter Erde älter wird, lebt und stirbt. Wir lebten außerhalb der Geschichte. Doch jetzt sind wir alle deckungsgleich. Jetzt sind wir richtig drin in der Geschichte, an ihrer Speerspitze, und der Wind fetzt uns um die Ohren. Da fällt Liebe schwer, wenn man sich gegen den Aufprall wappnet.

Martin Amis, *1999*[32]

Kapitel 6

Hat Howard Hughes diese Gedanken je gedacht? Unwahrscheinlich. Wir werden nie in das Geheimnis seiner letzten Jahre eindringen. Aber wir wissen, daß ein Narziß des zwanzigsten Jahrhunderts, der in seine Wasserquelle blickt, ein Spiegelbild sieht, das weit über die Grotte rein privater Belange hinausgeht, er sieht ein weites Netz von Beziehungen, eine nicht sehr dichte Wolke von glitzernden Fäden, die kreuz und quer in jede Richtung übereinanderlaufen: Telefonanrufe, Steuerbescheide, die Erinnerungen anderer, Abschriften aus der Schule, berufliche Verpflichtungen, Liebesversprechen und so weiter.

Der postmoderne Narzißt wird merken, daß er bereits in ein System eingebunden ist, das über den unmittelbaren Augenblick hinausgeht. Er wird immer *vermittelt*. Seine abschließende Reflexion wird ihm zeigen, daß die Quelle seiner Freude – oder seiner Misere – weitaus mehr von seiner Umwelt mit einschließt, als er sich jemals vorstellte. Das im *vermittelten Sublimen* reflektierte Selbst ist eine kunstvolle Schöpfung eines Lebens, das Symbole formt und modelliert, als wären sie Wirklichkeit. In einer symbolischen Wirtschaft sind die Symbole so real, wie die Wirtschaft wird.

Mit der Überwindung der Illusion vom insularen Selbst des industriellen Individualismus – dem sorgsam gezügelten *nützlichen Selbst* – merkt das neue Selbst, daß man, indem man die Umwelt nährt, sich selbst nährt. *Das* ist die Bedeutung des Symbols der verhungerten Leiche des Narziß, die die Erde mulcht, wo dann die Blumen wachsen werden. Natürlich muß man seine Umwelt nähren, weil sie das eigene Selbst *ist*. Architekten sagen gerne, daß Menschen Gebäude machen, aber Gebäude dann Menschen machen. Das gilt für das meiste in der Kultur.

Aber warten Sie. Ist diese Identifizierung mit der Umwelt das gleiche wie die Identifizierung des Mystikers mit dem Absoluten? Ist der letztliche Tod und die Verklärung des Narzißten das gleiche wie die Überantwortung an eine vorher bereits bestehende göttliche Ordnung der Dinge? Lila und der schmächtige Philip möchten genau das glauben. Und ebenso Millionen andere, die die Last ihrer eigenen Persönlichkeit ablegen und sich dem Willen Gottes überlassen möchten. Oder der Kirche. Oder der Revolution. Oder beliebigen anderen absoluten Maßstäben für die Sorge und Aufrechterhaltung des menschlichen Selbst. Aber »so funktioniert das Leben« leider nicht.

Spike und Howard Hughes mögen falsch liegen mit ihrem Versuch, ihre Welt auf das isolierte narzißtische Ego einzuengen; aber Lila und Philip werden auch nie Erfolg damit haben, ihre Welt auf eine Identifizierung mit dem Absoluten zu erweitern ... weil das »Absolute« eine Fiktion ist. Genau wie der Narzißmus am Ende selbstzerstörerisch ist – wie das Leben von Howard Hughes so klar demonstriert –, ist es auch der Versuch, über die Identifizierung einer Absolutheit als »Ziel« einen »Sinn im Leben« zu finden.

Lila kann sich für die Planung ihres Lebens auf keine Ideologie oder Religion mehr verlassen. Weder sie noch Howard Hughes können in irgendeiner Absolutheit einen endgültigen Trost finden. Ganz gleich, wie außergewöhnlich irgendeine einzelne Erfahrung vielleicht sein mag, es gibt immer den Morgen danach – nach mystischen Erfahrungen, nach dem Liebesakt und, wie selbst Spike feststellte, nach dem reinen Sex. Als jüngere Frau fiel es Lila schwer, zwischen Liebe und Sex zu unterscheiden, ohne das Ganze mit einer hehren Absolutheit zu verbinden. Als erstes wurde ihre Liebe zu Russ durch das »Ziel« der sozialen Gerechtigkeit und der Revolution getragen. Dann wurde ihre Liebe zu Philip durch die spirituelle Erleuchtung getragen. Und bei Kim fragte sie sich: *Liebe ich ihn wirklich, oder suche ich nur einen warmen Körper für Sex, einen Partner, der die Miete bezahlt, oder einen Vater für Michael?*

Lila haßte es, ihre Liebe zu problematisieren. Nachdem die Absolutheiten der Politik und Religion ihrem Leben keinen Halt mehr gaben, war die Liebe wichtiger und keineswegs weniger wichtig geworden. Jetzt sollte die Wahre Liebe das A und O in ihrem Leben sein. Die Wahre Liebe sollte nun all jene hehren Anliegen ersetzen, die im Laufe der Jahrzehnte in sich zusammengefallen waren. Sie möchte, daß die Liebe die Wunden heilt und ihren Weg erleuchtet, der mit den Jahren so dunkel geworden ist, nachdem Politik und Spiritualität ihre Versprechen nicht gehalten haben.

In dem Zuge, wie Lila die Hoffnungen ihrer Jugend auf das bescheidene Ziel einer dauerhaften Beziehung zurückschraubt – etwas, was sie noch zu erreichen hat –, fängt sie an, der Liebe zunehmend mehr Gewicht beizumessen. Und es besteht durchaus die Gefahr, daß die Wahre Liebe ihr neues »Ziel« wird. Für Lila hat die Liebe inzwischen die Funktion einer Art von Narzißmus zu zweit angenommen. Soll der Rest der Welt sich um sich selbst kümmern. Die Liebe wird ihre Insel der Freude sein. In diesem Sinne nähert sich Lilas Leben denn auch Spikes Leben an, dessen Horizont sich über die einsame Beschäftigung mit sich selbst so weit erweitert, daß er auch andere wie die süße Cindy mit einbezieht – wenn ihm nur der moralische Druck der Liebe nicht zuviel wird.

Könnte Liebe die Antwort auf ein Leben ohne ein »Ziel« sein? Aber die Liebe ist etwas so Geheimnisvolles, so Unaussprechliches und außerdem etwas, was nur schwer zu finden ist. Spike und Lila sind beide mit der Herausforderung konfrontiert, den Unterschied zwischen Sex und Liebe zu erkennen. Die Liebe ist keine Absolutheit. Wie das Selbst hat auch die Liebe eine Geschichte. Die Sexualität wurde *kultiviert,* die Liebe ist das Ergebnis. Die

Natur wurde von verschiedenen Kulturen kultiviert, und unsere diversen Geschichten sind das Ergebnis. Einfach zu tun, was nur natürlich und selbstverständlich ist, ist für Wesen, die eine Geschichte und eine Kultur geerbt haben, nicht mehr möglich. Wir wissen zuviel. Wir sind zu zivilisiert, um uns wie Tiere zu paaren, selbst wenn wir manchmal so rammeln möchten. So reden wir statt dessen von Liebe, als wüßten wir, wovon wir reden, und umgeben den Sex mit der Kultivierung dauerhafter Beziehungen.

Ich komme mir albern vor, auch nur die Frage zu stellen: Was *ist* Liebe? Das Spiel, Liebe zu definieren, gibt es seit Jahrhunderten, von den Berichten über die Romanze bis zu den Top-Hits dieser Woche. Und ich werde die Frage auf den nächsten wenigen Seiten wohl kaum endgültig lösen. Aber wir sind bereits zu weit gegangen, um jetzt zurückzuschrecken. So wird dieses Kapitel ins Dickicht der Fragen um Sex, Liebe und Sublimierung eintauchen. Ich werde die Puzzleteilchen auf den Tisch legen und sie in diesem und den nachfolgenden Kapiteln zu einem Lebensbild ohne »Ziel« zusammenfügen.

*

Wie weit sind wir gekommen? Von Lilas ehrgeizigen »Zielen« aus gesehen, sind wir um einiges *zurück;* von Spikes einsamem Narzißmus aus gesehen, sind wir *weiter;* und von Howard Hughes kurzer Berührung mit dem Absoluten und dem Frieden aus gesehen, der über alles Verstehen hinausgeht, sind wir um einiges *tiefer.* Diese drei Wege laufen beim Geheimnis der Liebe zusammen, das sicher bei vielen von uns das Ziel überhaupt ist. Aber auf was zielen wir eigentlich ab? Dauerhaftes Zusammensein und Lust in einer unangenehmen Verbindung? Vertrauen, Respekt und Freundschaft, die mit einer bestimmten physischen Anziehung besiegelt wird? Eine Romanze, die so sublim ist, daß sie über reinen Sex hinausgeht und erhaben ist?

All diese Definitionen versuchen, die Kluft zwischen dem Physischen und dem Sublimen zu überbrücken. Von der Lust zu erhabeneren Gefühlen; von der körperlichen Anziehung zu komplizierteren Emotionen; vom animalischen Sex zu dezidiert menschlichen Beziehungsstrukturen. Sowohl der Reichtum als auch das Mysterium der Liebe haben etwas mit diesem Spektrum vom Niedrigsten bis zum Höchsten in der menschlichen Erfahrung zu tun.

Das Wort für die Beschreibung dieser Transformation vom Niedrigsten bis zum Höchsten heißt Sublimierung. Ursprünglich bedeutete dieses Wort die Umwandlung einer Grundsubstanz in einen höheren Zustand: *das Sublime.* In der alten Kunst der Alchimie wurde mit *sublimatio* der Prozeß bezeichnet, bei dem der Alchimist den Stein des Philosophen so lange erhitzte, bis er sublime Dämpfe abgab. In der späteren Chemie wurde dann die direkte Umwandlung vom festen in den gasförmigen Zustand, ohne das Zwischenstadion eines flüssigen Zustandes, Sublimierung genannt.

Sobald wir die Alchimie und die Chemie von Gasen jedoch verlassen, um uns mit Poesie, Philosophie und Religion zu beschäftigen, zwingt uns der Verlust eines genauen physischen Bezugs – des Gases – zu fragen: Was *ist* das Sublime? Das müssen wir wissen. Denn wenn die Liebe von zentraler Bedeutung für ein Leben ohne ein »Ziel« ist, und wenn das Mysterium der Liebe mit einem Schlüssel geöffnet werden kann, der Sublimierung heißt, dann sind wir letztlich vielleicht an der richtigen Tür angekommen, ob wir nun wissen, wie sie zu öffnen ist, oder nicht.

Ohne ein »Ziel« zu leben *ist* sublim. Aber die Sublimierung ist nicht einfach. Um ihre Feinheiten zu erforschen, werde ich auf eine Reihe von Themen eingehen, von der alten Kunst der Alchimie, über die Psychologie bis zur Bedeutung der Informationsrevolution. Um zu erfassen, wie ich diese Themen entwickele, könnten Sie sich diese dritte Bewegung als eine Fuge vorstellen, also einen musikalischen Aufbau, bei dem sich dieselbe Melodie wie bei dem Kinderkanon »*Row, row, row your boat, gently down the stream*« wiederholt und wo die zweite Stimme mit derselben Melodie genau dann dazukommt, wenn die erste bei »*Merrily, merrily*« angekommen ist. Der Unterschied zwischen Bachs Fugen und Kinderkanons besteht darin, daß die zweite Stimme bei Bach die Melodie fünf Töne höher als die erste wiederholt. Ich werde die Melodie der Sublimierung in verschiedenen Tonlagen wiederholen: der körperlichen, der sexuellen, der symbolischen, der ökonomischen und der ethischen. Wie bei einer Fuge werden sich diese Melodien überschneiden. Und ebenso wie bei einer Fuge ist diese Bewegung etwas komplizierter, so daß ich von Zeit zu Zeit einige Anmerkungen machen werde, um zu erklären, was geschieht und warum.

Die Sublimierung hat eine reiche und etwas verwirrende Geschichte, die Geheimnisse verborgen hält, die es wert sind, daß man sich darüber den Kopf zerbricht – Geheimnisse, die sowohl für Spike als auch für Lila hilfreich sein werden –, kleine Fragen etwa über die Natur der Liebe, die Evolution der Wirtschaft oder die Herausforderung der Moralität. In geheimnisvollen, sprachlosen Momenten der Leidenschaft werden drei verschiedene Sinne der Sublimierung miteinander verstrickt. Erstens ist da das Aufschieben der sexuellen Befriedigung: »Sollen wir wie Tiere vögeln und es hinter uns bringen oder das Ganze mit etwas Finesse zeitlich einteilen?« Zweitens ist da die Spanne zwischen der Biologie der Sexualität und der Bedeutung der Worte, die wir als Artikulationen der Liebe benutzen. *Warum* müssen Spikes Mädchen die Worte »Ich liebe dich« hören? Drittens ist da die Moral, die sich um die so oft gestellte Frage dreht: »Sollen wir, oder sollen wir nicht?« Ich werde diese drei Stränge entwirren, indem ich die Sublimierung als *Aufschieben* der sexuellen Befriedigung behandele; Sublimierung als die *Erhöhung* der Befriedigung (was uns wohl so etwas wie einen Skandal bescheren dürfte); dann werde ich versuchen, uns mit einigen Ausführungen über die Sprache wieder aus dem Skandal herauszubringen. Im letzten Kapitel, dem Schlußteil, kommen wir dann zur Moral eines kunstvollen Lebens ohne ein »Ziel«.

*

Lila hat ein neues Problem mit ihrem Liebesleben. Sie hat einen tollen Mann namens Ned kennengelernt, der vielleicht Der Eine ist, den sie immer gesucht hat. Er hat einen ausgesprochenen Sinn für Humor, und er mag ihre Kinder. Aber wenn es um die körperliche Begegnung geht, vermischt er das reine Wunder der Sexualität mit allen möglichen verwirrenden Dingen. Dabei möchte Lila, die ihre alten »Ziele« nun hinter sich hat, sich nur in den Flammen der Leidenschaft verlieren. Sie möchte sich nackt ausziehen und Fleisch gegen Fleisch pressen. Aber Ned hat diese verrückte Idee von der Kunst der Erotik.

Ned kultiviert gerne eine erotische Spannung, die von der Nacht bis zum Tag anhält. Er liebt es, bei eingeschaltetem Licht und mit offenen Augen zu lieben. Er möchte sich, oder auch Lila, auf dem Höhepunkt der Leidenschaft nicht verlieren. Er ist gerne verspielt. Er liebt es, albern zu sein. Er verlängert sein Liebesspiel mit einer Kunstfertigkeit, die Lila als *Hemmnis* erscheint. Er errichtet Barrieren zwischen der Begierde und ihrer Befriedigung. Er schenkt ihr Reizwäche. Warum, fragt sie sich, möchte er sie in so viele Dinge kleiden, die doch sowieso früher oder später wegkommen? Warum kommt er nicht einfach zur Sache?

Lila möchte in einer Vereinigung verschmelzen, die keine Unterscheidung mehr kennt. Das ist aus ihrer Sicht das besondere Geschenk der Liebe. Ned macht sich aus ihrer Sicht des Fetischismus schuldig. Er hingegen findet, daß die Reizwäsche nur eine weitere Sprache ist, um den

Zauber ihrer Bindung zu artikulieren. Was ist diese »Sprache der Liebe«, die Ned sprechen möchte? Warum müssen in dem magnetischen Feld der sexuellen Anziehungskraft Vermittler zwischen ihren Körpern plaziert werden?

Die Sublimierung ist in einem Sinne ein Vermittlungsprozeß: das Zwischenschalten von Vermittlern zwischen der Begierde und ihrem Objekt, das Finden einer Romanze in etwas, was ansonsten unter dem Zwang des Instinktes leiden würde. Das ist ein Grund, warum die Sublimierung so zentral für ein Leben ohne »Ziel« ist: Die Sublimierung gibt der Energie, die sonst direkt auf ein Ziel zusteuern würde, eine neue Richtung. Das Leben kann mehr als eine einfache Flugbahn direkt ins Schwarze eines großen Zieles sein. Aber *wie* erfolgt die Sublimierung? Was ist es, das den Kurs des Lebens auf eine Art und Weise krümmt, durch die er mehr an Wert und Intensität erhält, als ihm an Geschwindigkeit und Effizienz genommen wird? Denn, um der Wahrheit Genüge zu tun, die Sublimierung verzögert einige Formen der Befriedigung.

Ein zweiter Sinn der Sublimierung – eine zweite Tonlage für die Melodie – ist die Symbolik. Die Sublimierung verschiebt die Lebensziele, durch eine Kursabweichung nach oben zum sublimen Bereich der Sprache, der Symbolik und dem vergeistigten Flechtwerk von Mythen und Bildern, das wir Kultur nennen. Wenn die »Ziellosigkeit« als solche das Prinzip unseres Glaubens sein soll, müssen wir uns die Sublimierung wesentlich intensiver ansehen und ihre Verbindung zur Sprache definieren.

Was *ist* die Verbindung zwischen Sex und den Worten »Ich liebe dich«? Wenn Tiere beim Fortpflanzungsakt nicht miteinander reden, was vermissen sie? Spike zufolge nicht viel. Er würde sich am liebsten ebenso schnell paaren und es hinter sich bringen. Aber das gehört zu Spikes selbstproklamierter Unreife. Er ist an einer dauerhaften Beziehung nicht interessiert. Und wenn es etwas gibt, was das Liebesgeflüster Ihnen einbringt, dann sicherlich für

126

längere Zeit einen Zimmergenossen oder eine Zimmergenossin. Was Spike angeht, ist es also besser, den Mund zu halten. Doch je mehr er darüber spricht, wie er empfindet, desto wahrscheinlicher ist es, daß Skrupel ihm den Schlaf rauben. Dann macht er sich Gedanken über Moral. Und das sollten wir auch. Diese Sorge führt uns zum dritten Thema der Sublimierung, zur Moral und zum Reiz von Skandalen.

Diese drei Themen – Verschiebung, Sprache und Moral – überschneiden sich wie bei einer Fuge in kontrapunktischen Linien. Und so funktioniert die Sublimierung: Sie fügt dem, was ansonsten in langweiliger Wortwörtlichkeit versinken würde, Linien und Schichten symbolischen Reichtums hinzu.

*

Ich erinnere mich noch, wie ich zum erstenmal ernsthaft über Sublimierung nachdachte. Ich mußte es. Eines Abends, nachdem ich gerade meine Kinder zu Bett gebracht hatte, tauchte aus dem Nichts vor meinem geistigen Auge das Bild einer meiner Studentinnen auf. Sie nahm mir die Luft weg. Sie saß immer in der ersten Reihe und kam immer in mein Büro, um mir ihre Gedichte zu zeigen. Ihr pfirsichfarbener Teint schimmerte in dem Licht, das durch das Fenster fiel. Eines Tages stand sie vor dem Fenster, mit einer dünnen Baumwollbluse bekleidet. Ein Augenblick des Schweigens wuchs ins Immense. Begierde kam hoch. Doch ich berührte sie nie. Statt dessen begann ich mit meiner Ausbildung in Sublimierung. Ich übte moralische Zurückhaltung und schob (auf unbestimmte Zeit und faktisch dauerhaft) die Befriedigung meiner Begierde auf. Das Medium, um uns durch diese sehr intensiven Augenblicke hindurchzubugsieren, war die Poesie. Ihre Worte bewegten mich.

Wir wissen alle, daß die sexuelle Lust eine gefährliche Sache ist, gesellschaftlicher Zündstoff. Sie kann Familien ruinieren, Menschen verletzen und eine Gemeinschaft zerstören. Kein Wunder, daß die Sexualität in die Schranken gesellschaftlich sanktionierter Zusammenhänge verwiesen ist: die Ehe und die Familie. Um Stabilität, Sicherheit und das Gefüge der Zivilisation zu wahren, die Voraussetzung für »höhere« Freuden sind, müssen die »niedrigeren« Freuden der sexuellen Befriedigung gezügelt werden, so daß sie letztlich mißbilligt werden. Kindern wird Disziplin beigebracht. »Faß dich dort nicht an!« Die repressive Moral lastet auf den unschuldigen Impulsen, die aus den Tiefen der menschlichen Gattung kommen. Diese Impulse haben die Energie ihres primitiven Überlebenswertes, die Macht einer angezogenen Bogensehne, und diese unschuldige Energie wird nur durch Hemmungen irritiert. So wurde das Gute der Lust verbogen: durch die Sublimierung und Umleitung dieser Energie von ihrem ursprünglichen zu irgendeinem anderen Ziel.

Es gibt fast kein zielgerichtetes Verhalten, das so ungestüm und entschlossen ist, wie das eines Männchens bei der Suche nach einem Weibchen. Der Hengst rennt schnurstracks auf die Stute los. Die Menschen üben sich in Tänzen, die weniger direkt sind. Die zielstrebige Verfolgung eines Ziels ist wie eine gerade Linie, die den gegenwärtigen Zustand mit dem Ziel der Zukunft verbindet. Die Sublimierung liefert eine Alternative zu dieser direkten Verfolgung eines Ziels. Sie ist kurvenreich: Sie folgt dem Kurs der Begierde statt dem Zwang des Bedürfnisses. Sie leitet den direkten Sprung des Bedürfnisses auf einen gewundeneren Kurs um. Aber wir könnten manchmal, genau wie Lila ihren Ned, fragen, warum dieses ganze Wie-die-Katze-um-den-heißen-Brei-Herumgeschleiche?

Eine Antwort fällt uns in Form eines religiösen Verbotes zu: Du sollst die Seele nicht mit den Sünden des Körpers beflecken! Wenn es Ihr »Ziel« ist, in den Himmel zu kommen, machen Sie langsam beim Sex. Sie brauchen nur die Zeitungen aufzuschlagen und nachzulesen, was über den letzten Sexskandal in der Katholischen Kirche berichtet wird, um zu sehen, welche gigantischen Ausmaße der Kampf zwischen dem Sexualtrieb und religiöser Unterdrückung annehmen kann. Eine lange Tradition, angefangen von Platon über den heiligen Augustinus bis in die Gegenwart, predigt die Lossagung von der Besudelung des Körpers. Aber diese Lossagung ist irgendwie schwer zu leben. Das sexuelle Begehren zerrt die Seele immer wieder in die Niederungen des Körpers zurück.

Eine andere Tradition kehrt die Polarität der Werte um, die die Triebkraft der sexuellen Sublimierung sind. Etwas vereinfachend dargestellt, bin ich nicht der erste, der die Einflüsse von Newton, Galilei, Marx, Darwin und Freud miteinander verknüpft. Alle diese Giganten der Moderne beschreiben den menschlichen Zustand als ein Emporsteigen aus dem Schlamm und nicht als ein Herabsteigen vom Himmel. Materie vor dem Geist, Schlamm vor der Seele, Sexualität vor ihrer Sublimierung zu den »höheren« Werken der Kunst und Kultur. Diese materialistische Tradition ist für die Idealisten ein Stein des Anstoßes, weil die Materialisten nicht so schnell damit bei der Hand sind, auch den Kurs, den die Begierde im Namen höherer Ideale nimmt, zu überprüfen. Aus Sicht der Idealisten sind die Materialisten folglich unmoralisch.

Spike und Lila – und der ganze Rest von uns – stecken mitten in diesem Kreuzfeuer zwischen den Materialisten und den Idealisten, einem Kampf, der seit Jahrhunderten währt. Er wurde auch mit dem Ableben des Kommunismus und dem sogenannten Ende der Geschichte nicht aufgegeben. Ganz im Gegenteil, der Aufstieg der modernen Wissenschaft schien den endgültigen Sieg des säkularen Materialismus zu versprechen: kein abergläubischer Hokuspokus mehr wegen Engeln und Geistern, nun da die Wissenschaft die Szene beherrscht. Alles, was existiert, ist

Materie und Bewegung im Raum und in der Zeit. So daß Schrödinger und seine Kollegen eigentlich in der Lage sein sollten, uns alles zu sagen, was wir über irgend etwas wissen möchten.

*

Jetzt noch eine weitere Einführung in das Thema der Sublimierung, diesmal geht es um die Wirtschaft. Der wissenschaftliche Fortschritt hat das Leben so verändert, daß die Transformation von Materie für uns heute weniger wichtig ist als die Verarbeitung von Informationen und die Definition unseres Platzes in einer symbolbeladenen Welt. Vor dem Hintergrund des Überganges von der Agrar- und Industrie- zu einer auf Informationen und Dienstleistungen beruhenden Wirtschaft, läuft die damit verbundene Veränderung unseres Alltagslebens auf nicht weniger als *die Sublimierung der Wirtschaft* hinaus. Wir glauben nicht mehr an Engel und Geister, aber die Quellen unseres neuen Reichtums und unserer neuen Identitäten sind in jeder Hinsicht genauso sublim wie unsere alten Werte.

Worte, Zahlen, Patente und Software existieren auf eine völlig andere Art und Weise als Orangen, Felsen, Stahl und Hardware. Die Realität von Worten, Zahlen, Bildern und Reputation hängt von Beziehungsstrukturen und nicht von physischen Eigenschaften ab. Und genauso zeigt sich der ganze Bereich des Sublimen in einer *anderen Art von Existenz* als physische Dinge wie Felsen und Orangen. Das Sein des Sublimen ist anders als das Sein materieller Dinge. Bei materiellen Dingen heißt *Sein, ein Individuum sein*, mit klaren Grenzen, einer evidenten Identität und der Fähigkeit, in der Zeit und im Raum zu existieren. Felsen haben diese Art von Beständigkeit und klare Grenzen. Ebenso Orangen, bis sie verrotten; oder Möbel, bis sie kaputtgehen. Aber diese Grundzüge der Existenz, die bei materiellen Dingen so offensichtlich sind, erweisen sich als absolut falsch und gefährlicher Irrtum, wenn sie auch auf das Sublime übertragen werden.

Bei der richtigen Einschätzung des Sublimen steht nicht weniger als die Natur der eigenen Persönlichkeit, die Strukturierung eines befriedigenden Lebens und die Bedeutung von Wohlstand auf dem Spiel, während wir uns von einer Wirtschaft, die auf soliden *Dingen* basiert, zu einer Wirtschaft hin bewegen, die auf Informationen und Dienstleistungen beruht. Für keines davon – weder für Dienstleistungen noch für Wohlstand, noch für das Selbst ist das Etikett *Ding* sonderlich passend. Dienstleistungen haben mehr mit Ereignissen und Erfahrungen als mit Verbrauchs- und Gebrauchsgütern zu tun. Wohlstand wird zunehmend weniger greifbar und zunehmend abhängiger von Verträgen, Vertrauen, Patenten und Steuervorteilen. Und das Selbst ist wohl kaum ein vereinheitlichtes *Ding*; seine Grenzen zerfließen in alle Richtungen, hin zu Beziehungen mit anderen Menschen, zu ehrgeizigen Plänen und Leistungen. Und schließlich ist die Sexualität nicht nur die Biologie der Fortpflanzung, sondern die physische Grundlage – die Tinte, der Buchstabe, die Seite – der Sprachen der Liebe, der Erotik und der Romanze.

*

Bei der Verbindung des geheimen Lebens der Psyche und der öffentlichen Welt der Kultur und Wirtschaft ist ein Teil der moralischen Verwirrung, unter der wir im Hinblick auf die Frage der »Ziele« oder der »Ziellosigkeit« leiden, ein Ergebnis des Scheiterns, mit der Zeit mitzuhalten. Unsere Geschichte und unsere Wirtschaft schleudern uns zum Sublimen, aber unsere psychologischen Kategorien – also jene Begriffe, die wir für die Gefühle und das Verständnis von unserem Innenleben verwenden – stecken nach wie vor im Sumpf des Materialismus und der industriellen Effizienz. Freud offerierte zunächst einmal eine materialistische Interpretation der Sublimierung. Platon wartete mit einer idealistischen Interpretation des Sublimen als einer Absolutheit auf. Doch keiner der beiden Ansätze wird für Lila angemessen sein. Und für Spike? Um es in der von ihm so geschätzten Sportsprache auszudrücken: Er muß lernen, die Isometrik eines hinausgezögerten Begehrens zu absolvieren, statt mit der Gymnastik des Quickies vorliebzunehmen. Hier wird die Sublimierung helfen.

Zwischen Freud und Platon gibt es einen Weg zu einer Form der Sublimierung, die die Liebe über die Sexualität erheben kann, allerdings ohne die Stütze eines absoluten Sublimen. Die Relativität, das hauchdünne Gewebe der Beziehungen zwischen den Worten einer Sprache, wird genügen, um die Sublimierung zu ermöglichen. Das Wissen, wie die Sprache funktioniert, und wichtiger noch, wie die Sprache *spielt,* wird dazu beitragen, die Rolle der Sublimierung in der Moral zu entwirren. Zunächst wollen wir jedoch einmal diesen Pfad zwischen Freud und Platon zur Sublimierung finden, denn dort laufen Spikes und Lilas Leben zusammen. Ohne es zu wissen, war Spike ein Freudianer und die jüngere Lila eine Platonikerin. Um den Bereich zwischen kunstlosem Sex und absoluter Liebe zu finden, müssen wir den Weg zwischen Freud und Platon finden.

Freud über die Sublimierung

Es ist schwierig zu lieben, wenn man auf einer falschen Fährte zwischen tektonischen Schichten ist, wo die Metaphysik des Materialismus und der Symbolismus des Sublimen gegeneinanderreiben. Diese falsche Fährte wird am eigentümlichen Versuch Freuds gezeigt, den Prozeß der sexuellen Sublimierung in einem materialistischen Sinne zu verstehen. Er behandelte die als Libido bezeichnete sexuelle Vitalität, als würde sie dem materialistischen Prinzip der konstanten Erhaltung gehorchen. Freud zufolge, so hat er es in *Das Unbehagen in der Kultur* formuliert, verlangt die Zivilisation die Verschiebung der Befriedigung, die Unterdrückung der unmittelbaren instinktiven Triebe zugunsten ihres sublimierten Ausdruckes im Dienste der Zivilisation.

Nachdem die Chemiker den Prozeß der Sublimierung von den Alchimisten übernommen hatten, entdeckten sie, daß man aus einer gegebenen Menge nicht mehr machen kann, zumindest nicht, wenn es um *Materie* geht. Wenn Sie eine feste Substanz verdampfen, mag das Gas ein größeres Volumen haben. Aber sobald Sie das Gas kondensieren und die Temperatur reduzieren, um es zu einer festen Substanz gefrieren zu lassen, werden Sie nicht mehr als am Anfang haben. Wahrscheinlich weniger durch die Leckage. Und das war die Art von Sublimierung – die konstante Erhaltung von Masse und Energie –, die Freud im Sinn hatte, als er den Mechanismus der Triebsublimierung im Sinne eines Entweder-Oder als Nullsummenspiel oder einen Handel zwischen Sexualität und Zivilisation beschrieb.

Obwohl vom Spiel der Symbole in den bewußten und unbewußten Abläufen des Geistes fasziniert, war Freud von Anfang bis zuletzt ein Materialist. In seiner ersten wichtigen Arbeit *Versuch einer psychologischen Theorie der akquirierten Hysterie, vieler Phobien und Zwangsvorstellungen und gewisser halluzinatorischer Psychosen* brachte er die Hoffnung zum Ausdruck, daß alle Einsichten aus der Psychologie letztlich auf die Neurophysiologie zu reduzieren sein würden.

Er weigerte sich auch beharrlich, das Sublime anzuerkennen. Genau wie der Geist auf Materie reduzierbar ist, argumentierte Freud, so seien auch die Produkte der Kunst und Religion auf Prozesse der Triebsublimierung reduzierbar. Die höheren Mysterien der Kunst und Religion seien einfach Schatten des erdgebundenen Dramas der Triebenergien. Sexualität ist real. Kunst und Religion sind Werke der Illusion. So spricht der Materialist. So spricht der Reduktionist, wenn er Sätze sagt wie: »Die Kunst ist *nichts als* die Sublimierung der sexuellen Energie.«[33] Und so spricht schließlich auch der Zyniker, für den »Alles das gleiche ist« – eine Serie von Umgestaltungen des gleichen alten Musters. Man kann aus einer gegebenen Menge nicht mehr machen. Freud sprach sich für die unmittelbare Triebbefriedigung aus. Aus seiner Sicht war die zivilisierte Sublimierung im allgemeinen ein schlechter Handel. Wenn wir seine Geschichte vom Zivilisationsprozeß hören, dann erfanden wir Moral und Religion, um zu verhindern, daß wir uns dusselig vögeln – in einer abgedroschenen Phrase: um *die Befriedigung zu verschieben.* Wir haben unsere sexuelle Energie vom unmittelbaren Ziel der sexuellen Befriedigung zum Medium der Kultur umgeleitet: Kathedralen, Musik, Kunstwerke. Aber diese Ersatzbefriedigungen sind aus Freuds Sicht nicht unbedingt so gut wie das ursprüngliche »Ziel«. Sobald die sexuelle Energie zu anderen Zielen umgeleitet wird, funktioniert der Sublimierungsprozeß, wie Freud erklärt, wie ein leckender Abfluß: Er verliert unterwegs einen Gutteil seines Saftes.

Es ist möglich, daß die Anforderungen der Zivilisation größer sind als die Belohnungen aus der verschobenen Befriedigung; daher das Unbehagen. Freud zufolge wird der Triebenergie durch die Umleitung der Begierde letztlich mehr abgezogen, als der Wunschbefriedigung je hinzugefügt werden kann. »Wenn die Kultur nicht allein der Sexualität, sondern auch der Aggressionsneigung des Menschen so große Opfer auferlegt, so verstehen wir es besser, daß es dem Menschen schwer wird, sich in ihr beglückt zu finden. Der Urmensch hatte es in der Tat darin besser, da er keine Triebeinschränkungen kannte. Zum Ausgleich war seine Sicherheit, solches Glück lange zu genießen, eine sehr geringe. Der Kulturmensch hat für ein Stück Glücksmöglichkeit ein Stück Sicherheit eingetauscht.«[34]

Freud zufolge kann Sublimierung bestenfalls ein Null-summenspiel sein: *entweder* investiert man seine Energie in die unmittelbare Befriedigung des Sexualtriebes, *oder* man leitet die gesamte Libido zu einem zivilisierteren Ziel wie der Kunst, Religion oder etwas anderem um, was wir Kultur nennen. Und dort verbleibt dann nur noch soviel Libido: »Da der Mann nicht über unbegrenzte Quantitä-ten psychischer Energie verfügt, muß er seine Aufgaben durch zweckmäßige Verteilung der Libido erledigen. Was er für kulturelle Zwecke verbraucht, entzieht er großenteils den Frauen und dem Sexualleben.«[35] Das ist der tiefere Hintergrund hinter so oft wiederholten Sätzen wie: »Tut mir leid, Liebes, ich muß ins Büro.«

Heutzutage sind wir nicht ganz so schnell bei der Hand damit, das Drama, wie Freud es tat, sexistisch zu insze-nieren: »Die Frauen vertreten die Interessen der Familie und des Sexuallebens; die Kulturarbeit ist immer mehr Sache der Männer geworden, stellt ihnen immer schwierigere Aufgaben, nötigt sie zu Triebsublimierungen, denen die Frauen wenig gewachsen sind.«[36] Vorsicht, Sigmund: Höre in der Ferne die zu Recht aufgebrachten Feministinnen.

Nun, da wir entdeckt haben, daß Frauen in der Lage *sind*, Befriedigung zu verschieben, muß auch klar sein, daß die Zivilisation nicht nur ein Männerspiel ist. Heute kön-nen auch Frauen unter dem von Freud beschriebenen Un-behagen leiden. Beim Drama der Sublimierung geht es nicht darum, daß sich die Männer um der Zivilisation wil-len mit den Frauen messen. Bei diesem Drama wird die unmittelbare an der sublimierten Befriedigung gemessen, und jedes Geschlecht kann jede Rolle wählen. *Sie* kann diejenige sein, die für sich etwas Passendes findet und *ihn* zu Hause läßt.

Aber wenn das alles ist, was der Feminismus erreicht hat – eine paritätische Verteilung des zivilisierten Unbehagens zwischen Männern und Frauen –, dann haben wir nicht viel gewonnen. Wir können es besser machen. Freud hatte in mehr als in diesem Punkt, der Frage der Besetzung in diesem Drama, unrecht. Er lag auch mit seiner Metapher falsch: dem Abfluß. Diese Metapher führt zum mechanistischen, materialistischen Gesetz *von der konstanten Erhaltung der Libido.*

Auf die Psychologie der Sublimierung übertragen, führt dieses materialistische Prinzip der Erhaltung der Materie und Energie geradewegs zu der Idee, daß es im Leben einzig darum geht, die Triebenergie von einem Ziel zum nächsten zu schieben. Wenn alle Ergebnisse letztlich auf eine Umgestaltung der gleichen Grundsubstanz zu reduzieren sind, was ist dann der Punkt. Man kann aus einer gegebenen Menge nie mehr machen.

*

Die Sublimierung ist die Umleitung, die den direkten, stürmischen Sprung zum Triebziel in eine andere Richtung leitet. Wenn das menschliche Leben mehr ein Tanz als ein Ruck auf ein einziges Ziel zu ist, dann sollte die Choreographie der Sublimierung all diejenigen interessieren, die sich die »Ziellosigkeit« zum Prinzip ihres Glaubens machen. Aber wenn die Sublimierung die Alternative zum geradlinigen Losrennen auf ein Ziel ist, dann müssen wir mit einer besseren Version der Sublimierung aufwarten als der, die Freud uns angeboten hat. Wir müssen etwas Attraktiveres als nur die Umgestaltung des gleichen alten Stoffes bieten.

Ich sehe die Sublimierung nicht als eine Umleitung, bei der die Wahrscheinlichkeit einer Reduzierung aufgrund der Leckage im psychischen Abfluß inbegriffen ist. Es gibt kein Newtonsches Gesetz über die konstante Erhaltung der Libido. Über die Sublimierung *können* wir aus einer gegebenen Menge mehr machen. Wir können uns unseren Sex in unserer Phantasie vorstellen und ihn haben. Das Symbolische ist dem sogenannten Realen nicht abträglich.

136

Im Gegenteil, das Gehirn kann die vollendete erogene Zone sein.

Die Sublimierung ist kein Nullsummenspiel. Das Sublime ist keineswegs einfach nur ein Trostpreis, der den Trieben überreicht wird, nachdem die repressive Zivilisation die Auszahlung der sexuellen Lotteriegewinne verschoben hat. Bei dem Ansatz, eine bessere Geschichte zur Sublimierung anzubieten, laufen wir jedoch Gefahr, auf einen prämodernen Ansatz zum Sublimen zurückzufallen. Wie würde ein solcher Ansatz aussehen, und warum ist er ebenso unzulänglich wie der Freuds?

Das platonische Sublime

Im Gegensatz zu Freud behandelt der Platonismus das Sublime, als würde es irgendwo auf uns warten, während wir uns aus der materiellen Realität heraus nach oben kämpfen. Das Sublime würde all jene Erfahrungen der Erleuchtung umfassen, die Freud auf Sublimierungen der Libido reduziert. Aber für den Platoniker ist das Sublime nicht nur nicht reduzierbar, es ist irgendwie auch realer als die materiellen Schritte, die zu ihm führen.

Was wären nun Beispiele für dieses immer schon lokkende Sublime? Der Himmel etwa. Oder die Art von Glückseligkeit in diesem Leben, die in der östlichen Literatur der Erleuchtung beschrieben wird. Oder, um jenseits vom Mystischen und Spirituellen zu einer weltlicheren Philosophie zu kommen, etwa Platons Reich der Ideen: reine Formen ohne materielle Inhalte; Werte, Normen und Maßstäbe der Perfektion. In Platons Philosophie werden sie als *realer* beschrieben als die greifbaren Dinge, die wir für real halten, die sich jedoch als blasse Imitationen ihrer perfekteren Versionen im Bereich der Ideen erweisen.

Platon stellte diese ewigen Ideen dem niedrigeren Bereich der materiellen Dinge gegenüber. Ewige Ideen sind die Grundlage des *Seienden;* vergängliche Dinge sind im *Werden* steckengeblieben. Diese Kette von Gegensätzen – ewig und vergänglich, Sein und Werden, ideell und materiell – ist die weltliche Version einer religiösen Ordnung, die den Himmel über die Hölle, Gott über den Menschen und die Seele über den Körper stellt.

Das »Ziel« derer, die ganz unten bei der Platonischen Hierarchie anfangen, ist, die große Kette des Seins vom Schleier der Illusion in der physischen Welt zur Klarheit der Vision zu ersteigen, die man erhält in der ewigen Ordnung des Sublimen. Dort, im platonischen Reich der reinen Ideen, weicht die Zeit der Ewigkeit, und der Schmerz und das Leid des Werdens werden durch die Glückseligkeit des reinen Seins verbannt. Klingt wie eine höchst erstrebenswerte Vollendung, wie man sie sich nur wünschen kann, diese platonische Auffassung vom Sublimen. Oder etwa nicht? Für Nietzsche jedenfalls nicht.

»Was für eine Art Mensch reflektiert so? Eine unproduktive *leidende* Art; eine lebensmüde Art. Dächten wir uns die entgegengesetzte Art Mensch, so hätte sie den Glauben an das Seiende nicht nötig: mehr noch, sie würde es verachten, als tot, langweilig, indifferent.«[37] Nietzsche, der Apologet der »Ziellosigkeit« als solcher, erkennt, wie das »Ziel« des sublimen Seins als Verlockung für diejenigen funktioniert, die des Werdens überdrüssig sind, die die *reale Zeit* nicht aushalten, die die Welt anhalten und an einen Ort flüchten möchten, wo nichts geschieht – keine Flugzeuge, keine Züge, kein Schmerz oder Leiden. Klingt nach einem Club Méditerranée für längst tote Mumien.

Natürlich ist das eine Karikatur des platonischen Sublimen, aber vielleicht ist das *Werden* doch nicht ganz so schlecht. Vielleicht ist die Version der Sublimierung, die zu einem bereits postulierten Sublimen aufschaut, nicht besser als ein Reduktionismus, der auf Urtriebe herabschaut, die durch die Sublimierung umgeleitet werden. Vielleicht laufen beide Versionen nur auf einen jeweils entgegengesetzten Modus hinaus, vor der realen Zeit zu fliehen.

✻

Meine Erfahrung sagt mir, daß vieles von dem, was ich in Texten von Platon bis Freud gelesen habe, falsch ist. Und wichtiger noch als diese Texte selbst ist, daß das, was wir von der westeuropäischen Kultur geerbt haben, die diese Texte bereitwillig aufnahm, zutiefst verwirrend ist. Der Kampf zwischen Lust und Verdrängung wurde fehlbesetzt. Die Spaltung zwischen Körper und Geist und deren Beziehung zu dem Wettbewerb zwischen Triebenergie und Zivilisation stammt aus einer Zeit, in der die Ausstattung des Lebens noch eine andere als heute war. Damals, als wir noch weniger Zeit mit Symbolen verbrachten, und mehr Zeit damit, unsere Muskeln zu nutzen, war die Ausstattung unseres Universums fast vollständig physischer Natur. Heute leben wir jedoch in einer weitestgehend aus Symbolen zusammengesetzten Welt, einer Welt aus Dingen, die nicht *nur einfach* Dinge sind, sondern wie die Blumen in einem geschenkten Strauß, Dinge, die über ihre reine natürliche Erscheinung hinaus inzwischen eine symbolische Bedeutung gewonnen haben.

Sowohl die Freudsche als auch die platonische Version der Sublimierung umarmen letztlich, was »tot, langweilig, indifferent« ist. Für Platon ist der Prozeß der Sublimierung seinem *Ziel* untergeordnet: dem Sublimen. Für Freud leitet sich der Prozeß von seinem materialistisch aufgefaßten *Ursprung* ab, der libidinösen Energie, die sublimiert wird. Weder in dem einen noch in dem anderen Fall wird der Prozeß der Sublimierung für sich allein gewürdigt – als eine kunstvolle und kreative eigenständige Operation, die aus etwas Gegebenem mehr erzeugt.

Für Freud könnte die kalte Dusche die versinnbildlichte Erfahrung der Sublimierung sein: ein wenig erfreuliches

Mittel, um die libidinöse Energie von ihrem eigentlichen Ziel, auf das sie hinauswill, abzulenken. Für Platon ist die versinnbildlichte Erfahrung der Sublimierung eine Abstinenz, die Sexualität insgesamt meidet – die Beziehung, die »rein platonisch« ist. Weder die eine noch die andere Version der Sublimierung hilft uns zu erkennen, wie das Leben die Erhabenheit eines Sonntagsausflugs nach nirgendwo haben kann, wie das Dorthinkommen mehr als die Hälfte des Spaßes sein kann. Weder die materialistische noch die idealistische Version der Sublimierung erlaubt es uns zu erkennen, wie die Verschiebung der Befriedigung die Befriedigung in Wirklichkeit *fördern* statt beeinträchtigen kann. Freuds Version der Sublimierung ist das zweitbeste zur einfachen sexuellen Befriedigung; schlimmstenfalls eine nihilistische Umgestaltung der Libido, die nichts bedeutet – eine sinnlose Umleitung der Energie.

Platons Version vom Sublimen bietet zuviel an, wo Freud zuwenig bietet. Was Spike braucht, um die Befriedigung verschieben zu können, und Lila, um Freude an Neds Geschenken zu haben, ist eine Version der Sublimierung, die mehr als Freuds kalte Dusche und weniger als Platons asketisches Kommunizieren mit einem völlig entmaterialisierten Sublimen anbietet. Wir müssen, um einen Augenblick beim sexuellen Medium für die Sublimierung zu bleiben, versinnbildlichte Erfahrungen der Sexualität identifizieren, die zwischen den Freudschen und platonischen Extremen liegen. Mir fallen zwei ein. Erstens, das tantrische Yoga; zweitens, mit Neds Hilfe, Spitze.

Tantra und Spitze

Es sind nicht die künstlerischen Begabun-
gen, die den sexuellen Eigenschaften untergeordnet sind, wie manche Scharlatane und
Schamanen gesagt haben, es ist genau
umgekehrt: Die Sexualität ist nichts als der
Zulieferer der Kunst.

Vladimir Nabokov[38]

Kapitel 7

Das tantrische Yoga ist eine östliche Praxis, bei der sexuelles Verlangen geweckt wird, es jedoch nicht zur Freisetzung der Erregung im Orgasmus kommt. Tantrische Priesterinnen sind Expertinnen in der Erregung erotischer Energie und auch Expertinnen darin, genau vor dem finalen Augenblick, im richtigen Moment mit ihren rituellen Diensten aufzuhören. Tantrisches Yoga hat eine lange Geschichte, die ganze Traditionen erotischer Kunst inspiriert, die für westliche Christen skandalös sein mögen. Beim Tantrismus geht es um die Kultivierung erotischer Energie, eine Vervollkommnung des Eros zu etwas Sublimerem, eine Sublimierung, die nicht auf Urtriebe zu reduzieren ist. Die tantrische Praxis ist auch nicht sonderlich zielgerichtet. Das Ziel des Orgasmus wird unbegrenzt verschoben; aber die sexlose Beschäftigung mit dem platonischen Sublimen ist mit der ersten Bewegung der Priesterin bereits hinfällig.

Neds Kultur ist ganz und gar westlich, so daß, wenn von Tantrismus die Rede ist, er ihm wohl mit seiner Spitze noch am nächsten kommt. Weder undurchsichtig noch durchsichtig, verhüllen Dessous ebenso wie sie enthüllen, und enthüllen wie sie verhüllen. Und natürlich – und das ist der Punkt – kann ein in Spitze gehüllter Körper, als das Ziel, das hinter einem Schleier versteckt ist, verlockender als ein völlig nackter sein.

Spitze schiebt das Ziel der völligen Enthüllung hinaus; sie verlangt einen Umweg. Die durch die Spitze geweckte Erregung wird höher und nicht geringer als die unmittelbare, »unvermittelte« Befriedigung sein. Die Spitze ist ein Medium, das dem Eros durch die Stimulierung des Geistes zuträglich und nicht abträglich ist, als hätten wir es hier, beim Eros, mit einer Art flüssiger Materie zu tun, die über den Abfluß verlorengehen könnte. Spitze erregt Lust, indem sie gerade genug bietet, um eine aktive Imagination zu wecken, aber auch wiederum nicht so viel, daß für die Imagination selbst zu wenig übrigbleibt.

Es braucht einen Geist, um die schimmernde Bedeutung von Dessous würdigen zu können. Es ist zu bezweifeln, daß Spitze auf Hunde oder Pferde einen allzu großen Effekt hat. Wobei natürlich auch das Reich der Tiere seine Gefieder und seine Paarungstänze hat. Aber ich bezweifele, daß unter Tieren durch ein Assoziationsspiel ein solches Maß an Erregung erzeugt werden kann, das Erinnerungen, Bräuche, Hemmungen und das ganze, von der Kultur geschaffene Drama der Liebeswerbung mit einbezieht. Voraussetzung für dieses Werk der Kultur, diese Kultivierung einer ansonsten rohen und animalischen Triebenergie ist der Geist.

Erinnert sei nur an die geistigen Assoziationen, die bei der Symbolik der verschiedenen Farben von Spitze im Spiel sind. Weiße Spitze für das Hochzeitskleid der Braut ist unschuldig – fast. Sie ist jedoch nicht so unschuldig wie ein einfaches glattes weißes Gewebe. Rüschen aus weißer Spitze können durchaus unschuldig sein. Aber wenn weiße Spitze als Bekleidung kaum etwas verhüllt, ist sie wohl auch nicht unschuldig. Aber die Braut soll ja auch gerade in ihrer Unschuld höchst verführerisch sein.

Schwarze Spitze impliziert die Kunst der Verführung; Andeutungen von erotischen Vergnügungen jenseits der eigenen regen Vorstellungskraft. Rosa Spitze gehört zur Welt der kleinen Mädchen – und der nicht ganz so kleinen Mädchen. Genau wie rote Rosen eine Botschaft vermitteln, die eine völlig andere als die weißer Rosen ist, so unterscheiden sich rote Dessous auch von weißen, so wie sich heiß von kalt unterscheidet. Die Symbolik von Spitze ist in jeder Hinsicht so komplex und präzise artikuliert wie die Symbolik von Blumen. Beide sind liebesumwoben. Beide brauchen einen gewissen Überfluß. Wie die Blütenblätter einer Orchidee bringen die Rüschen auf einem Slip Extravaganz zum Ausdruck, eine Mißachtung der reinen Funktionalität.

Es werden sich sicher einige Narren finden, die nun versuchen, diese Analogie zwischen Spitze und Blumen weiterzutreiben, um die biologische Funktionalität von Dessous zu bestreiten, als ob Spitze einfach die evolutionäre Nachfolgerin von Blütenblättern und Pfauenfedern wäre. Was ist der *Nutzwert* von Spitze? Eine utilitaristische Antwort: Verführung, Paarung und die Fortpflanzung der Spezies. Aber die Biologie von Reiz und Reaktion gehorcht Gesetzen, die sich grundlegend von den Grundbegriffen der Bedeutung unterscheiden. Damit ein Symbol sexuell signifikant ist, bedarf es geistiger Assoziationen. Es ist nicht nur eine Frage der Chemie, nicht einmal im Falle der Blumen.

In den zurückliegenden Jahrhunderten könnte ein Poet sich eloquent über die physischen Eigenschaften von Blumen ausgelassen haben: über ihre Farbe, ihren Duft, die Formen der Blütenblätter. Wir setzen die Biologie der Blumen heute als selbstverständlich voraus; entscheidend ist jetzt ihre *Bedeutung*. Eine gute Floristin kann maßgebend mit darüber entscheiden, wie andere Sie verstehen. Ihre Floristin ist Ihre Agentin bei der Übermittlung bestimmter Botschaften. Wie fungieren Blumen als Zeichen oder Symbole? Wie kommt es, daß rote Rosen sich in mehr als nur der Farbe von weißen Rosen unterscheiden?

Die Bedeutung von roten Rosen hat wenig mit Gewicht oder Volumen oder Flugbahnen oder der Ursache-Wirkung-Logik von mechanischen Zug- und Triebkräften zu tun. Schrödingers Wellengleichung wird Ihnen nicht helfen, wenn es darum geht zu berechnen, wie Ihre Rendezvous-Partnerin die Bedeutung eines Blumenstraußes interpretiert. Die Bedeutung leitet sich aus Beziehungssystemen, aus der Semantik und Grammatik und Syntax ab. Diese Beziehungsstrukturen haben eine völlig andere Form des *Seins*, eine andere Ordnung der Existenz mit einer völlig anderen Metrik. Sie würden von einem physischen Gebilde nicht sagen, daß es *tiefsinnig* ist, ebensowenig würden Sie eine Idee als *eiförmig* beschreiben. Worte sind keine Rädchen im Getriebe. Symbole erfüllen ihre Aufgabe nicht nach der Art von Hebeln und Kurbeln und Rollen.

Wir alle erkennen diese Unterschiede im *Sein* an, wenn wir uns bewußt darauf konzentrieren. Aber die Bedeutung des Unterschiedes wird leicht übersehen, wenn sich unbewußte Gewohnheiten, die aus Jahrhunderten physikalischer Manipulationen und Verfahrensweisen übernommen wurden, in unseren Umgang mit Symbolen einschleichen. Niemand greift zu einer Bügelsäge, um ein Budget zu beschneiden. Und niemand würde meinen, daß allein mit Überlegungen ein Haus gebaut werden könnte. Aber durch die Metapher – das sprachliche Nutzen von Ähnlichkeiten – bringen wir oft die Logik physikalischer Prozesse mit ein, wie Freud bei der materialistischen Behandlung der Libido. Spike und seine Freunde haben mit ihrer mit »irgendwie« durchsetzten Sprache in einem Punkt recht: In der postmodernen Welt *ist* fast nichts nur das, was es ist. Fast alles ist, was es ist, und darüber hinaus *wie* etwas anderes, symbolisch ausgedrückt. Alles kann eine Geschichte erzählen, zu der sehr viel mehr gehört als das, was ins Auge fällt.

Keine Frage, daß unser Sexualleben auf der soliden Grundlage der Biologie aufbaut. Aber was wir dann mit den physischen Mechanismen der Sexualität machen, ist von Kultur zu Kultur und von Person zu Person so grundverschieden, daß jeder Versuch, diese enorme Vielfalt auf ein einzelnes Gesetz physischer Reize und Reaktionen zu reduzieren, geradezu absurd ist. Die Reduzierung der Verführung auf Reiz-Reaktions-Mechanismen geht an dem wichtigen Punkt vorbei. Sie bringt Erotik und Obszönität durcheinander.

Die Erotik artikuliert das Verlangen in vielen Sprachen. Das Obszöne reduziert das Verlangen auf Sprachlosigkeit. Die Erotik bezieht sich auf den Reichtum der symbolischen Dimensionen. Das Obszöne nimmt alles wörtlich und bringt das Symbolische so zum Schweigen. Die erotische Lust ist ein Spiel, das ewig weitergespielt werden möchte. Die Obszönität sieht am Ende immer wie Arbeit aus, eine Anstrengung, die man hinter sich bringt. Die Obszönität ist, ganz einfach, zu zielgerichtet. Die Erotik hat Platz für das Überflüssige, Zeit für Vergnügen und Raum für die symbolische Bedeutung, die im Vergleich zu den Reiz-Reaktions-Mechanismen mehr wie ein Spiel ist.

Gebrauch und Mißbrauch der Nützlichkeit

Worin besteht der Nutzen von Blumen? Man kann förmlich hören, wie Farmer Brown sich in seinem Overall bei seiner leidgeprüften Frau beschwert: »Was ist der Punkt? Was ist der Zweck? Was ist das Ziel?« Wenn du etwas anbaust, dann sollte es auch eßbar sein. Und genauso könnte man auch nach dem Gebrauchswert von Spitze fragen. Und ebensogut könnte man fragen: Was ist der Nutzen von Lachen? Was ist der Nutzwert des Lebens? Was ist der Wert des *Nutz*wertes?

Wenn wir die Kunst und das ästhetische Urteil als Paradigma für den Entwurf eines Lebens nehmen, täten wir gut daran, die Nützlichkeit des *Nutzens* als Wertmaßstab in Frage zu stellen. Utilitarismus ist die Moral der Industriellen. Indem sie die Moral zu einer Frage quantitativer Berechnungen machen, wonach die größte Menge am besten ist, überlassen Utilitaristen die Moral den Ingenieuren. Aber können wir uns dieser Technisierung des Menschseins unterwerfen, ohne genau das Menschsein preiszugeben, das wir »konstruieren« würden? Die langwierigen Berechnungen der Utilitaristen werden uns nichts über das sagen, was wir über die Bedeutung der Spitze wissen möchten. Und ebensowenig werden die Berechnungen der Utilitaristen uns etwas darüber sagen, was wir heute über Politik oder Wirtschaft oder Moral wissen möchten. Mit der Sublimierung der Wirtschaft von der Solidität der industriellen Güter zur Flüchtigkeit der Informationen und Dienstleistungen befinden wir uns in einer Welt, in der das alte Vokabular von Gebrauchsgütern mit Grenz*nutzen* einem neuen Vokabular sich verflüchtigender Erfahrungen der *Grenzintensität* weicht.

Aber Intensität ist eine Frage, die im wesentlichen im Auge des Betrachters liegt, mehr als der Nutzen, der vermutlich objektiv gemessen werden könnte. Die Wirtschaft des Sublimen katapuliert den Verbraucher in eine bedeutende wirtschaftliche Rolle, da die Geschmacksunterschiede zwischen den Verbrauchern maßgebender für die Qualität ihrer Erfahrungen sind, als bloße Meinungen es für den Nutzen einer Wagenladung Stahl sind. Eine Tonne Stahl ist eine Tonne Stahl ist eine Tonne Stahl. Aber eine Rose ist *nicht einfach* eine Rose. Ebensowenig ist der Geschmack einer Person, was Dessous angeht, unbedingt identisch mit dem einer anderen Person, wie Lila und Ned entdeckt haben. Und wie verrückt wäre es, über diese Unterschiede hinwegzugehen, so wie Farmer Brown über den Nutzen von Blumen hinweggeht, nur weil Dessous dem Anspruch nicht genügen, als Schutzkleidung dienlich zu sein. Spitze ist nicht dazu da, den Regen abzuhalten.

Der Skandal der Ziellosigkeit

Alles schön und gut, sagen Sie. Möglich, daß wir uns von einer Wirtschaft der Bedürfnisse zu einer Wirtschaft des Begehrens bewegen, vom Reich physischer Notwendigkeiten zum Reich der sublimen Freiheit, vom peppigen Schwung des industriellen Marsches zu einer lyrischeren postmoder-

nen Melodie. Aber was ist mit der Moral? Wie können wir navigieren, nachdem die Absolutheiten verschwunden sind? Was sind unsere politischen Ziele? Sollen »die anderen« Spitze essen?

Beim Spaß an Dessous steht die Moral auf dem Spiel, nicht nur, was die Unanständigkeit der Konsumtion angeht, sondern auch auf der politischen Ebene der Wirtschaft, bei ihrer Herstellung. Es gab einmal eine Zeit, in der die Arbeitsbedingungen in der Spitzenmanufaktur ein ebenso schmutziges Geheimnis vor der Gesellschaft waren, wie es die Spitze als solche unter der meterdicken Kleidung der viktorianischen Ära war. Zu den bewegendsten Abschnitten in den Werken von Marx gehören seine Beschreibungen der Arbeitsbedingungen in den Spitzenmanufakturen im England des neunzehnten Jahrhunderts. Diese Knechtschaft und Unterdrückung wurde gleichwohl sorgfältig beobachtet und in den Berichten der Children's Employment Commission beschrieben, die alljährlich zwischen 1863 und 1867 veröffentlicht wurden, just in der Zeit, als Marx sich durch die Bestände der British Museum Library las und seinen ersten Band von *Das Kapital* schrieb.

»Es ist nichts Ungewöhnliches in Nottingham«, zitiert Marx aus den Berichten der Children's Employment Commission, »15 bis 20 Kinder in einem kleinen Zimmer von vielleicht nicht mehr als 12 Fuß im Quadrat zusammengepökelt zu finden, während 15 Stunden aus 24 beschäftigt an einer Arbeit, an sich selbst erschöpfend durch Überdruß und Monotonie, zudem unter allen nur möglichen gesundheitszerstörenden Umständen ausgeübt... Selbst die jüngsten Kinder arbeiten mit einer gespannten Aufmerksamkeit und Geschwindigkeit, die erstaunlich sind, fast niemals ihren Fingern Ruhe und langsamere Bewegung gönnend. Richtet man Fragen an sie, so erheben sie das Auge nicht von der Arbeit, aus Furcht, einen Moment zu verlieren.«[39]

Die beißende Schärfe der Berichte der Fabrikinspektoren über die Arbeitsbedingungen in der Spitzenindustrie ergibt sich aus dem Gegensatz zwischen dem Luxus von Spitze und der elenden Unterdrückung der Arbeiter und Arbeiterinnen, die sie herstellten. Natürlich wird Spitze heute von Maschinen gemacht. Sie wird nicht von Kindern hergestellt, die unter trüben Gaslampen zusammengepfercht sind. (Aber was ist mit der Seide, bei der »made in China« auf dem Etikett steht? Hier gibt es Berichte von Fabriken mit mörderischen Arbeitsbedingungen in den westlichen Provinzen . . .)

Ist es nicht skandalös, sich auf den Luxus von Spitze als ein Paradigma für die neue Wirtschaft zu fixieren, wenn es Millionen nach wie vor am Notwendigen fehlt? Und die Antwort lautet natürlich: *Ja, es ist skandalös.* Statt vor dem Skandal zurückzuschrecken, sollten wir jedoch einmal die Anatomie des Skandals untersuchen: Ein Skandal fasziniert um so mehr, je abstoßender er ist. Das ist seine Magie: Indem er unser Anstandsgefühl schockiert, erweitert der Skandal die Horizonte des Begehrens und befreit uns vom Alltäglichen. Neue Dinge werden möglich, aber wie schockierend! Und wieviel begehrenswerter sind sie gerade darum! Und so dreht sich der Kreis in einer Rückkoppelungsschleife, die dann schon bald wieder Gerüchte über einen neuen Skandal hervorbringt: *Da ist jemand über die Mauer des Anstands gestiegen* – so wie ich über die Mauern von Exeter stieg und sie hinter mir ließ. Aber ist diese Freiheit vom Engen und Beschränkten nur um den Preis der Überschreitung zu gewinnen?

*

Was ist die Quelle unserer Faszination von der Sünde? Für bewußte Menschen, die in einer Kultur erzogen wurden, die Hemmungen kultiviert, geht die Faszination über die direkte Anziehungskraft des körperlichen Vergnügens hinaus. Was unanständig ist, hat einen besonderen Reiz, allein weil es als unanständig etikettiert wurde. Ich spürte diese Faszination des verbotenen Landes, als ich hinter dem Steuer meines Mercury saß. Und später lockten mich die schuldbeladenen Vergnügungen des Flipperspiels. Es war die Nacktheit des Living Theater, die die Menschen in die immer wieder vollen Häuser lockte, angezogen von dem Überschreiten der Anstandsregeln. Nennen Sie es die Dynamik des Perversen, wenn Sie möchten, aber solange wir die Logik der Versuchung nicht erkannt haben, werden wir ihrem Reiz auch nicht widerstehen können.

Dem Utilitarismus mangelt es an der Subtilität, die wir brauchen, um die Schwingungen der Versuchung erfassen zu können. Der Utilitarismus entspringt einer Haltung, die alles in einer übermäßig vereinfachten Mittel-Zweck-Mentalität sieht. Der Utilitarismus sieht jede Handlung als ein mehr oder weniger erfolgreiches Mittel zu einem Zweck, als ein Instrument für ein Ziel. Sich auf eine Auseinandersetzung mit dem Utilitarismus auf seinem ureigenen Feld – auf dem Boden der Berechnung der besseren und schlechteren *Mittel* – einzulassen bedeutet, den Kampf gegen den instrumentellen Ansatz der Ethik zu verlieren.

Ohne Absolutheiten wissen wir vielleicht nicht immer, *warum* bestimmte Handlungen falsch sind, auch wenn wir wissen, *daß* sie falsch sind. Wir wissen, daß es falsch ist zu lügen, zu betrügen, zu stehlen oder grausam zu sein. Wir sagen nicht mehr, daß diese Überschreitungen falsch sind, weil sie Sünden sind, die Gott mißfallen, oder weil sie irgendwelche ebenso absoluten Maßstäbe verletzen, die über alle kulturellen Unterschiede hinausgehen. Warum sind sie dann falsch? Weil sie mit irgendwelchen Nützlichkeitsberechnungen nicht vereinbar sind, wonach die größte Menge auch höchstes Glück ist? Ist das das Ziel der Moral? Die Gesamtsumme des Glücks zu *maximieren?* Ich glaube, Nietzsche traf den Nagel auf den Kopf, als er über die Grundannahme des Utilitarismus spöttelte: »Der

Mensch strebt *nicht* nach Glück, nur der Engländer tut das.«[40]

Ich möchte eine andere These verwenden, eine, die wie der Utilitarismus eine Moral ohne Absolutheiten erhält, sich mit ihren Metaphern aber mehr auf die Kunst als auf die Mathematik stützt. Das ästhetische Urteil liefert bessere Modelle für eine moralische Argumentation als die Mathematik oder die Physik.

Wir *berechnen* unseren Weg durch moralische Krisen nicht ... sofern wir nicht einer utilitaristischen Philosophie anhängen. Wer sowohl von absoluten Wahrheiten als auch von utilitaristischer Rationalität frei ist, neigt dazu, sich auf seinem Weg zum guten genauso wie bei seinen Urteilen über das Schöne von seiner *Intuition* leiten zu lassen. Die Moral ist genau wie die Wertschätzung des Schönen weniger eine Frage der *Maximierung* als des *Wohlgeschmacks* und *Genießens:* Muster sehen, Kohärenz spüren, sich an dem, was *paßt,* erfreuen, die Angemessenheit des einzelnen Teiles im komplexen Ganzen fühlen.

Mit simplizistischen Kodizes der Ethik wird die Welt allzu säuberlich in Gut und Böse unterteilt. Ob es Reagan war, der Rußland als »das Reich des Bösen« umriß, oder ob es religiöse Gebote mit ihren »Du sollst nicht«-Verboten oder die Regeln in Exeter mit den Listen strafbarer Vergehen sind, zu einfache Kodizes ignorieren die geheimnisvolle Verwandtschaft von Heiligen und Sündern und die so oft zitierte Nähe zwischen dem Höchsten und dem Niedrigsten. Solche einfachen Kodizes ignorieren die Verwandtschaft zwischen *Freiheit* und *Überschreitung.*

Wenn die ganze Welt so einfach wie ein Kinderspiel wäre und der Unterschied zwischen Richtig und Falsch so einfach zu erkennen wäre wie ein Fuß, der beim Hüpfspiel innerhalb oder außerhalb eines Kästchens ist, dann wäre es ebenso einfach, gute Menschen zu züchten, wie guten Spargel zu züchten. Es wäre eine wissenschaftliche Frage:

Wie kann ein bestimmter Output vor dem Hintergrund eines bestimmten Inputs maximiert werden? Aber wir sind als Menschen weitaus komplexer als Spargel, nicht zuletzt, weil wir einen Großteil unseres Lebens im Bereich des Symbolischen leben und reden, wo die Grenzen nicht allzu klar sind.

Trotz bester Absichten legen wir in einer Welt, die voller Symbole ist, die Struktur von Richtig und Falsch im allgemeinen falsch aus. In der Hoffnung auf die Klarheit, die in der physischen Ordnung zu finden ist, wo Schafe klar von Ziegen unterschieden und Gold klar von Silber getrennt werden kann, gehen wir davon aus, daß Gut und Böse ebenso klar auseinanderzuhalten wären. Aber die symbolische Ordnung ist voller Zweideutigkeiten und, anders als der Bereich physischer Notwendigkeit, besetzt mit Unterschieden, die reine Geschmacksfragen sind.

Spitze mag unanständiges Zeug sein. Nicht nur im Sinne des tantrischen Aufreizens, das bei ihrer Verwendung im Spiel ist, sondern auch im politisch-wirtschaftlichen Sinn. Mit der Herstellung von Spitze assoziiert man nichts Gutes. Kein Wunder, daß Marx darauf aus war, die Enteigner zu enteignen. Die Unterdrückung von Kindern ist eine gesellschaftliche Obszönität. Marx kann nicht vorgeworfen werden, daß er die Erde von dieser Obszönität befreien wollte. Aber das als marxistisch bezeichnete gesellschaftliche Experiment läuft, genau wie der Faschismus, Gefahr, die Welt allzu säuberlich – allzu materialistisch – in Gut und Böse zu teilen.

Da Marx sich auf die offensichtlichen Extreme des Bösen konzentrierte, entgingen ihm die Doppeldeutigkeiten, die für die meisten moralischen Zwangslagen wesentlich sind. Er ließ die Moral einfacher aussehen, als sie ist – er begründete eine politische Strategie mit einem klaren »Ziel«: die Revolution als dem Mittel zum Zweck einer klassenlosen Gesellschaft. Aber das »Ziel« einer klassenlosen Gesellschaft ergab sich nicht wie geplant. Die großen politischen

Strategien, die ihren Anhängern »Ziele« liefern – sei es die »Endlösung« der Nationalsozialisten oder die klassenlose Gesellschaft der Marxisten –, bringen am Ende mehr Übel hervor, als sie anfänglich zu beseitigen versuchten.

Große Ziele haben die tückische Eigenart, »sauer« zu werden. Mit dem Beharren darauf, die Menschen entweder total gut oder total böse zu sehen, hält die utopische Politik der Linken wie der Rechten das »Ziel« moralischer Reinheit und völliger Unschuld aufrecht. Wegen ihrer scharfen Unterteilung der Welt in Schwarz und Weiß übersehen die politischen Kämpfer die Grauschattierungen, die das Alltagsleben einfärben. Sie übersehen die Ambiguität, die der Struktur des Bösen zu eigen ist.

Das nächste Kapitel ist eine Abhandlung über diese Doppeldeutigkeit des Bösen, die in der Sprache mit ihrem Potential für Zweideutigkeiten verankert wird. Wenn wir die guten und die schlechten Nachrichten über die Sublimierung nicht erfassen, werden wir im Zweifel auf eine Art von modernem Platonismus mit dem Sublimen als unserem »Ziel« zurückfallen. Das ist bei sehr vielen der Fall: Sie werden in diesem oder jenem Sinne fundamentalistische Eiferer. Nicht nur die radikalen Muslime, auch Ökofeministinnen, kämpfende Alkoholiker und wiedergeborene Christen leben nach einem Kodex. Anders als Künstler haben sie keinen Sinn für Überschreitungen und in der Konsequenz auch nicht für die Freiheit. Sie wissen genau, wo die Ziellinie ist, und ihr ganzes Leben ist darauf ausgerichtet, sie zu erreichen. Aber wir anderen wissen, daß das Leben nicht so einfach ist. Wir wissen nur nicht genau, wie es so komplex geworden ist.

Die meisten von uns lavieren irgendwo zwischen den Extremen von Gut und Böse herum. Wir lassen gerade genug Wissen zu, daß wir uns angesichts unseres relativen Glücks leicht schuldig fühlen, aber nicht genug, um die Früchte dieses Glücks zu opfern. Wir folgen nicht alle Albert Schweitzer nach oder Florence Nightingale. Aber ebensowenig verhärten wir unsere Herzen absichtlich oder wollen wie Scrooge vor seiner grundlegenden Veränderung sein. Wir schlängeln einfach so gut es geht auf einen dritten Weg zwischen Heiligkeit und abgestumpfter Vergessenheit zu.

Beim Hin- und Herlavieren zwischen Spikes Narzißmus und Philips Mystizismus werden wir am Ende weder mit der Einsamkeit zufrieden noch von den großen Zielen überzeugt sein, die Weltverbesserer motivieren würden. Was bleibt auf diesem Pfad zwischen hochmütiger Einsamkeit und den Annehmlichkeiten sozialer Angepaßtheit, sind moralische Dilemmata.

Eine betont tugendhafte Ethik ist zu nichts gut: Sie gibt uns keine Vorstellung vom Weg durch die Hölle. Sie ignoriert die Lektionen von Dante oder Orpheus. Sie ermöglicht es uns nicht, durch die Unterwelt zu navigieren. Um zurechtzukommen, müssen wir nicht Das Gute erkennen, sondern wissen, wie wir das trügerische und falsche Gesicht des Bösen erkennen. Keine Ethik, die ich kenne, hilft Ihnen, mit der Unausweichlichkeit der Unvollkommenheit gut leben zu können. Nicht wie man immer perfekter leben kann, sondern wie man lebt, nachdem man einen Fehler gemacht hat – das ist die Frage. Wie kann man sich nach einer häßlichen Scheidung, einem schäbigen geschäftlichen Deal, einem Vertrauensbruch selbst noch im Spiegel ansehen? Wie lebt man mit einem schlechten Gewissen, und wie verzeiht man sich die eigene Fahrlässigkeit, wenn man es doch hätte anders machen können?

Wir haben die religiöse und agrarische Ära hinter uns gelassen, jene Zeit, in der das Leben noch relativ einfach war: Hunger war der Feind, die Rettung das »Ziel«, und Gott in seinem Himmel diente als Schöpfer und Schiedsrichter. Und jetzt sind wir gerade dabei, die politische und industrielle Ära hinter uns zu lassen, in der Ideologie den Glauben und Materialismus die Verehrung des Sublimen ersetzte. Wir können sicher sein, daß die von

Religion und Politik gelieferten großen Ziele in dieser neuen Ära, der Informationsgesellschaft, als Navigationshilfen nicht mehr angemessen sind. Aber wir insistieren noch immer darauf, andere »Ziele« zu finden, um unserem Leben einen Sinn und einen Zweck zu geben.

Im Zweifel möchten wir lieber »Errettung« und »Revolution« durch andere, gleichermaßen grandiose »Ziele« ersetzen, statt »Ziellosigkeit« als solche als das Prinzip zu akzeptieren. Jahrhunderte der Sublimierung haben uns gelehrt, unser Leben als *Mittel* zu einem transzendenten *Zweck* zu leben und unser Selbst als *Mittel* zu einem transzendenten *Zweck* zu formen, so daß es uns schwerfällt, uns ein Leben oder Selbst vorzustellen, das nicht vor dem Hintergrund großer Ziele definiert wird. Und ich vermute, daß es nicht unbedingt reicht, Bescheidenheit zu wecken. Es ist psychologisch nicht befriedigend zu sagen: »Bescheide dich. Schraube deine Ansprüche zurück.« Ehrgeiz ist keine Sünde. Individuen müssen nach wie vor träumen können. Aber wie kann das *beste* Handeln bestimmt werden, nachdem die großen Ziele der Religion und Ideologie als abwegig erkannt wurden?

Was bedeutet das »Beste«, nachdem alle absoluten Wahrheiten aufgegeben wurden? Kann es irgendeine rationale Grundlage für die Bevorzugung eines Ziels gegenüber einem anderen geben? Werden die alten Absolutheiten aufgegeben, besteht die Gefahr, daß man einen schlüpfrigen Abhang hinunter in den Sumpf des Hedonismus rutscht: sich jeweils auf das einzulassen und sich mit dem zufriedenzugeben, was gerade guttut.

Das nächste Kapitel versucht, auf diesem schlüpfrigen Abhang zwischen den alten Absolutheiten und einem elenden Relativismus einen Halt zu finden. Wenn die absoluten Wahrheiten verschwunden sind, kann dann die Politik deren Platz einnehmen und Sinn und hehre »Ziele« verkünden? Ein kurzer Blick in die jüngste Geschichte legt den Schluß nahe, daß Fukuyama zum Teil recht hat. Ideologien *sind* genauso obsolet. Das heißt, daß wir den Sinn statt in großen politischen Strategien und ideologischen »Zielen« in einer bescheideneren Moralität sehen müssen, die taktisch und ästhetisch statt strategisch und ideologisch ist.

Grauschattierungen

Denn ich tue nicht das Gute, das ich will,
sondern das Böse, das ich nicht will.

Römer 7,19[41]

Kapitel 8

Selbst wenn wir unser Anliegen vom Ideologischen auf das Moralische reduzieren, werden wir feststellen, wie wir mit Zeichen und Symbolen ins Schlingern geraten. Genau wie in dem Beispiel mit den Viehzüchtern in Texas und den Agenten in Hollywood, die ihr Selbstwertgefühl aus unterschiedlichen Erfahrungen speisen, spielt auch hier wiederum die Solidität des Mediums eine entscheidende Rolle. Anstelle der relativ klaren Grenzen, die für gewöhnlich politische Themen definieren, warten moralische Themen mit Symbolen auf, deren Sinn und Bedeutung weniger klar sind als zum Beispiel nationale Grenzen. In der ersten Hälfte dieses Kapitels geht es um Moral, sie untersucht einige Ironien und Zweideutigkeiten, die heutzutage Politik und Ethik plagen. In der zweiten Hälfte des Kapitels werde ich auf den Unterschied zwischen den *physischen* Grenzen und den *symbolischen* Zweideutigkeiten und deren Bedeutung für ein Leben ohne »Ziel« eingehen. Zunächst wollen wir uns aber ansehen, was im einzelnen passiert ist: Was ist mit den großen Zielen schiefgelaufen, die von den politischen Ideologien definiert wurden?

Politische Paradoxien

Die Demokratie gerät in Schwierigkeiten, wenn die Wähler nicht die Ziele erreichen, die sie bei ihrer Stimmabgabe vor Augen hatten. In den letzten Jahrzehnten hat sich ein beunruhigendes Muster herauskristallisiert: Nur konservative Administrationen können mit Liberalisierungsmaßnahmen noch durchkommen, während linksgerichtete Administrationen gezwungen sind, konservativ zu werden. Ein erstes Beispiel: Es bedurfte des Republikaners Richard

Nixon, um die Beziehungen zwischen den Vereinigten Staaten und China wieder aufzunehmen. Einem Demokraten wäre vorgeworfen worden, mit den Kommunisten zu paktieren. Ein zweites: Lyndon B. Johnson wurde gewählt, um Amerika wieder aus Vietnam rauszuziehen, und er zog die Nation nur tiefer in den Sumpf. Eine dritte politische Ironie: Das Urteil über Johnsons Krieg gegen die Armut ist bestenfalls gemischt. Während einige Arme von den Ausbildungs-, Erziehungs- und wohlfahrtsstaatlichen Programmen profitierten, sind viele in den Fängen der sich selbst reproduzierenden Armut gelandet. Gutgemeinte Programme zur Mietpreiskontrolle dämmen den Anreiz zum Wohnungsbau und zum Erhalt von Sozialwohnungen für die Einkommensschwachen ein, so daß mehr Menschen auf der Straße enden. Und ein viertes und letztes Beispiel dieser Liste über die abartigen Effekte politischer Maßnahmen: Eine Studie über die Ergebnisse des Krieges gegen die Drogen ergab, daß die Aktivitäten letzten Endes zu einer Steigerung der Gewinnspanne bei Kokain, höheren Anreizen für die Dealer und damit zu einer Steigerung statt Senkung des Kokshandels geführt hatten.

Wenn ein Schritt zum Ziel letztlich zwei Schritte von ebendiesem Ziel wegführt und ein Schritt nach links letztlich zwei Schritte nach rechts führt, ist es kein Wunder, wenn die Wähler durch dieses Minsk-Pinsk-Syndrom verwirrt sind. Einer alten jiddischen Geschichte zufolge fragt ein Kaufmann einen anderen: »Fahren Sie nach Minsk oder nach Pinsk?« Als der zweite Kaufmann sagt: »Nach Minsk«, fährt ihn der erste an: »Sie Lügner, Sie fahren in Wirklichkeit nach Minsk.«

Wenn das Mißtrauen so tief geht, daß Absichtserklärungen als verschleierte Ankündigungen des Gegenteils aufgefaßt werden, wird jede rationale Strategie nahezu unmöglich. Das Setzen und Erreichen nationaler Ziele erscheint fruchtlos. Wenn Falken Tauben hervorbringen und Tauben Falken, wenn politische Maßnahmen wie die Mietpreiskontrolle am Ende zu höheren Mieten führen, wenn Konservative die einzigen sind, die liberalisieren können, und Liberale konservativ werden müssen, dann betreten die politischen Macher einen Spiegelsaal, aus dem es kein einfaches Entkommen gibt.

Kein Wunder, daß den jungen Leuten politischer Idealismus zu fehlen scheint! Die jüngsten Lektionen der Geschichte haben dem guten Willen hart zugesetzt. Die direkte Verfolgung politischer Ziele scheint bestenfalls unbeabsichtigte Nebenwirkungen und schlimmstenfalls das Gegenteil der beabsichtigten Ziele zu erzeugen. So kommt es dann zu sehr verschlungenen Argumentationen. Selbst François Mitterand sah sich, nachdem er sein Amt als erklärter Sozialist übernommen hatte, zu dem Eingeständnis gezwungen: »Ich bin mitnichten der Gegner von Profit, wenn er gerecht verteilt wird. Ja, man kann hier ein Vermögen machen.« Da sie den Glauben an die Effizienz politischer Lösungen verloren haben, wenden sich Clevere dann der Vermögensbildung auf den Finanzmärkten zu und fangen damit in ihrem eigenen Hinterhof an.

Taktische Ethik

Die taktische Ethik konzentriert sich auf Einzelheiten, auf das, was unmittelbar ansteht, auf das menschliche Maß des Alltagslebens, auf die Textur von Eventualitäten, die bei einer moralisch unklaren Situation das Gefühl bestimmen. Wenn Sie eine Gebotsmoral gegen eine Urteilsmoral eintauschen, ist eine feinere Analyse erforderlich. Bei einer Moral, die auf absoluten Geboten basiert, einer Moral, die immer sagt, wo es langgeht, läßt sich aus den allgemeinen Merkmalen einer Situation ableiten, was zu tun ist. *Keine Abtreibungen erlaubt! Schwanger und unverheiratet mit drei weiteren Kindern unter fünf Jahren? Von den anderen Kindern möchten wir erst gar nichts wissen.*

Sie sind irrelevant für das Gebot: Keine Abtreibungen erlaubt.

Eine taktische Ethik, die auf Urteilen statt auf Geboten basiert, käme keineswegs automatisch zu dem Schluß, daß eine Abtreibung in jedem Fall angemessen ist. Sie käme überhaupt nicht *automatisch* zu irgendeinem Schluß, da Moral keine Frage des Berechnens ist. Der postmoderne Moralist ließe sich auf die Ängste und Qualen der Situation ein, würde alle damit verbundenen Variablen nachfühlen, mit einem möglichst weiten und offenen Blick Ausschau halten, welche unbeteiligten Zuschauer und etwaigen Verantwortlichkeiten tangiert sind, und dann ausgehend von dieser Situation eine Entscheidung treffen, die so viel berücksichtigt wie schwangere Elternteile erfassen und berücksichtigen können.

Jungen Liebenden den Rat zu geben, »brav zu sein«, wird kaum Erfolg haben, wenn der Vorschlag bedeutet, um den Preis des Vergnügens und der Lust keusch zu sein. Was ist für uns der Anreiz, »brav zu sein«? Mit Sicherheit nicht das »Ziel« der Errettung. Die meisten von uns gehen davon aus, daß wir, wenn unser Leben vorüber ist, im Krematorium verbrennen oder in der Erde verrotten werden. Wir werden weder Flügel bekommen, mit denen wir in den Himmel fliegen, noch bis in alle Ewigkeit im Feuer der Hölle brutzeln. Die meisten Erwachsenen wissen, daß sie ihre Strafen und Belohnungen entweder zu Lebzeiten hier auf Erden oder überhaupt nicht bekommen.

In der postmodernen Zeit kann die Zuckerbrot-und-Peitsche-Strategie der Religion reife Erwachsene nicht mehr motivieren. Selbst Katholiken verwenden Verhütungsmittel. Und die Ich-Ideale, die aus der postmodernen Kultur internalisiert werden, sind nicht unbedingt dazu angetan, zu »bravem« Verhalten zu führen. Die heutigen idealen Egos sind kaum Stützen der Gemeinschaft. Unsere Helden ähneln mehr einem Mickey Rourke als einem John Wayne. Wir haben die Apokalypse im Kino gesehen, mit

Dolby-Sound; wir haben die Angst kennengelernt, in unseren Großstädten überfallen zu werden, und uns fehlt der Glaube an Garantien für den Fortschritt auf ein glückliches Ende unserer Schicksalsprüfungen. Wir wissen heutzutage, daß wir Führer durch die Hölle brauchen, aktualisierte Versionen von Dantes *Hölle.*

Alles ist *nicht* erlaubt. Nicht die Verschmutzung der Umwelt, nicht der Verfall in einen hoffnungslosen Hedonismus. Aber wie sollen wir unseren Weg zwischen Lilas fehlenden Absolutheiten, die uns *genau* sagen würden, was erlaubt *ist,* und Spikes willkürlichem Nihilismus finden, der alles und jedes erlaubt?

Ohne die Meistererzählung einer alles überspannenden, von allen Nationen und Kulturen geteilten Religion fehlt uns die vereinheitlichende Kultur, die eine gemeinsame Grundlage für eine von allen geteilte Moral bieten würde. Ohne einen gemeinsamen praktischen Faden, der es Beteiligten verschiedener Herkunft ermöglichen würde, miteinander zu kommunizieren, sind wir als Menschen in arger Bedrängnis, einen gemeinsamen Satz von Regeln und Einvernehmlichkeiten für unser Miteinander zu finden. Die Regulierung des Handels wird schwierig, da dasselbe Wort in unterschiedlichen kulturellen Zusammenhängen eine unterschiedliche Bedeutung hat. Der Austausch von Tips, der in New York als »Insiderkungeln« angeprangert würde, mag in Tokio oder Hongkong durchaus im Rahmen üblicher freundschaftlicher Hilfe liegen. Der »Nepotismus« in einer Kultur spiegelt in einer anderen die vorherrschenden familiären Werte wider.

Moralisch nicht besetzter Relativismus ist die dunkle Ecke des Pluralismus. Es ist aber nicht so, daß es aus ihr kein Entkommen gibt, und sie muß auch nicht die bösartige Alternative zu den alten Absolutheiten werden. Es gibt Wege und Möglichkeiten, Werte zu verteidigen, die über das Individuelle hinausgehen, ohne dabei von universalen, absoluten Geboten abhängig zu sein, die für jeden immer und überall gelten. Erinnert sei hier nur an die Diskussion über das Veralten von Absolutheiten, daran, daß die fünf Formen der Relativität, die den Glauben an bestimmte Absolutheiten ersetzt haben, *nicht* jede Disziplin in die Zusammenhanglosigkeit gestoßen haben: Die internationale Wirtschaft funktioniert nach wie vor, auch ohne Goldstandard. Die Währungs-»Körbe« fungieren als Ballast zur Stabilisierung der Kursschwankungen. Könnte es in so einem Sinne auch Moralkörbe geben, die schwerer als die Impulse des Augenblicks wiegen, ohne von dem »Goldstandard« absoluter Gebote abhängig zu sein?

Trotz Einsteins Relativierung des absoluten Raumes gibt es die Möglichkeit zu navigieren. Die Relativitätstheorie ändert nichts an der Nützlichkeit von Straßenkarten. Im Bereich der menschlichen Reiserouten ist eine Meile nach wie vor eine Meile. Die Relativierung des Raumes verzerrt das Maß nur bei wesentlich längeren, in Lichtjahren gemessenen Reisen. Ein ähnliches Argument kann im Bereich der Ethik angeführt werden. Die Sitten und Gebräuche einer Gemeinschaft oder eine Tradition mögen *innerhalb* dieser Gemeinschaft ausreichend für die Lösung der meisten moralischen Krisen sein. Die Relativierung von Werten fordert nur dann ihren Tribut, wenn wir große kulturelle Distanzen zu überbrücken versuchen, ein Beispiel sind Salman Rushdies waghalsige literarische Reisen zwischen dem Islam und dem Westen.

Die Sprache funktioniert noch immer, trotz des fehlenden einfachen Bezugs zu irgendeiner absoluten Realität. Das Gitterwerk jeder Sprache genügt den Franzosen, den Deutschen, den Amerikanern, den Japanern und so weiter. Könnte es vielleicht auch ebenso viele Grammatiken der Moral geben, die ähnlich, aber nicht identisch und ausreichend für die moralischen Bedürfnisse jedes einzelnen in jeder Kultur sind? Bei dem Versuch, Grundlagen für unsere Werte zu finden, geraten wir nur dann in Schwierigkeiten, wenn wir darauf bestehen, tiefer zu graben, durch den Lehm unserer eigenen Kultur, um auf den absolut gewachsenen Fels zu stoßen, der unter allen linguistischen und kulturellen Unterschieden liegt. Es gibt eine vielzitierte Geschichte über die indische Kosmologie. Ein Fakir versucht, einen Westler davon zu überzeugen, daß die Welt auf dem Rücken eines Elefanten ruht, der wiederum auf dem Rücken einer Riesenschildkröte steht. Wobei sich für den Westler dann natürlich die Frage stellt: »Und worauf steht die Schildkröte?« Worauf der Fakir antwortet: »Oh, Sahib, danach kommen nur noch Schildkröten!«

Und in unserer relativistischen postmodernen Welt, die durch die Schleier der Ambiguität vermittelt wird, kommen dann nur noch Interpretationen. Die Kluft, die durch die Interpretierbarkeit der Zeichen aufgetan wurde, trennt unsere Symbole auf immer von der rigorosen Eins-zu-eins-Grundlage in der physischen Realität. Und selbst wenn wir unsere Symbole in dieser Realität verankern könnten, wäre unser Verständnis von der Materie nicht mehr so deterministisch, wie es einmal war. Sowohl unter uns, was uns einmal wie ein physisches Fundament vorkam, als auch über uns, wo wir uns einmal irgendeinen religiösen oder platonischen Plan vorstellten, spüren wir jetzt Ungewißheit und Ambiguität.

Die Chaostheorie wird genau an diesem Punkt lehrreich, wo der mechanistisch gesinnte Perfektionist dem geologischen Fundament der widerspenstigen Materie eine Form geben möchte. Es gab einmal eine Zeit, in der die Wissenschaft zu suggerieren schien, es gäbe eine Hoffnung auf die Zähmung der Materie. Mit einigen weiteren Entdeckungen und einer Menge harter Arbeit könnten wir unter die Ebene der reinen Wahrscheinlichkeit gelangen, um jene Gewißheiten zu messen und vorherzusagen, die – wie gewachsener Fels – an der Basis aller Existenz lägen. Genauso sicher wie unter jeder Meereswelle – wenn wir nur tief genug gehen – fester Boden zu finden ist, genauso

sicher sollte es unter jeder Wolke der reinen Wahrscheinlichkeit eine determinierte harte Grenzlinie zur Realität
geben. Heute äußert sich die Wissenschaft nicht mehr mit einer
solchen Gewißheit über die Gewißheit. Das Verständnis
von den Wahrscheinlichkeiten in der Natur führt jene
Kluft zwischen Gewißheit und Wahrscheinlichkeit nicht
mehr auf die menschliche Unkenntnis von den wahren
Ursachen zurück. Wir verstehen die Materie heute proba-
listisch. Die besten Beschreibungen, die wir von subatoma-
ren »Teilchen« liefern können, sind statistische Wahr-
scheinlichkeitszuteilungen: Gleichungen, die im Endeffekt
besagen, daß die Chancen, »Teilchen a« am Punkt x zu
lokalisieren, so und so sind. Wobei »Teilchen a« – und
die Anführungsstriche sind hier entscheidend – allerdings
mehr wie eine Welle als wie ein festes, scharf umrissenes
Gebilde aussieht. Anders als der Ozean, der einen festen
Boden hat, kann selbst die physische Realität nur aus Wellen bestehen.

Das Konzept von der Materie wurde entmaterialisiert,
wenn wir bei »Materie« auf irgendeiner festen Realität in
der Form bestehen, daß bei der Berührung ein definitiver
Widerstand geleistet wird. Die mikrokosmische Ordnung
bietet den Atomphysikern nicht solche Unterscheidungen,
wie sie uns im Alltagsleben begegnen, wo ein Marmortisch
so sehr viel schärfer auf das Schienbein trifft als, sagen wir,
der Duft von Rosen auf die Nase. In der mikrokosmischen
Ordnung sind nach dem derzeitigen Verständnis der
Atomphysiker Wahrscheinlichkeiten das Beste, was wir jemals bekommen können, *nicht* weil unsere Meßlatten zu
ungenau sind, sondern weil die zu entdeckenden Gebilde
mehr wie Aromen als wie Marmortische sind. Von Natur
aus unbestimmt und nicht nur als Funktion unserer sub-
jektiven Unwissenheit sehen sie mehr wie Schmieren als
wie Punkte, mehr wie Trends als wie einzelne Ereignisse,
mehr wie Tendenzen als wie harte Fakten aus.

168

In der Anhäufung summieren sich diese mikrokosmischen wahrscheinlichen Ereignisse zu tatsächlichen Gewißheiten im Alltagsleben. Lassen Sie sich einen Fernseher auf den Zeh fallen, und es *wird* weh tun. Desgleichen ist Heisenbergs Unschärferelation kein ausreichendes Argument für den freien Willen. Ich möchte nicht in die Falle geraten, die menschliche Freiheit auf der Grundlage einer Kritik am physischen Determinismus zu verteidigen. Mit der Berufung auf die Chaostheorie möchte ich nicht allzuviel beweisen. Ich möchte *nicht* behaupten, daß, nur weil die physische Materie nicht so ist, wie wir dachten, das Leben *somit* ungewiß ist und Ziele unwägbar sind. So zu argumentieren, hieße, in jene Art von bodenloser Kausalität zu fallen, die mit der Sublimierung gerade überwunden werden soll. Die Physik diktiert nicht die Ideologie. Die Materie determiniert nicht die Psychologie. Folglich kann man sich nicht auf Argumente aus dem Labor berufen, um eine neue Ideologie oder eine neue Psychologie zu rechtfertigen. Schrödingers Wellengleichung ist *nach wie vor* unzureichend, um Liebe zu finden.

Wir kommen auf die falsche Fährte, wenn wir, nachdem wir die Absolutheiten ad acta gelegt haben, nun zum Zoom greifen und von den äußeren Horizonten des Alltagslebens spezifische Fälle heranholen – genau wie ich falsch lag, als ich davon ausging, Schrödingers Wellengleichung würde mir in Bennington bei Rendezvous helfen. Aber jenseits der Frage des *Maßstabs* gibt es auch die Frage des *Ansatzes:* Gehen wir an diese Fragen der Ethik vom Standpunkt des (wenn auch inzwischen geläuterten und bescheideneren) Ingenieurs mit einem Rechner heran?

Wir müssen hier die Fertigkeiten von Künstlern und Dichtern ins Spiel bringen, bei denen wir die Fähigkeit zum Umgang mit *Doppeldeutigkeiten* finden. Newtons Gesetz vom reziproken Quadrat der Entfernung ist immer und überall gleich. Zwei Körper *müssen* miteinander immer und überall im Universum mit dem reziproken Quadrat ihrer Entfernung anziehen. Aber männliche und weibliche menschliche Wesen ziehen einander nicht annähernd mit der gleichen uniformen Notwendigkeit an. In ihre Beziehungen schleicht sich durch die Tür mit der Aufschrift »Sitte, Kultur und die Sublimierungen der Zivilisation« die Eventualität ein.

Der Skandal der Ziellosigkeit verlangt, daß wir mit der Frage von Gut und Böse ringen, *aber daß wir es im Kontext des Sublimen tun.* Was dabei herauskommt, ist alles andere als festgelegt. Bei der Abwesenheit der großen Ziele, die Religion und Ideologie uns lieferten, wird der einzelne auf bescheidenere Ressourcen wie die Fähigkeit des Literaturkritikers, Texte zu interpretieren, zurückgeworfen, hier kann nie eine definitive Lesart, ein endgültiges Fazit, eine perfekte Lösung erreicht werden. Jede unerwünschte Schwangerschaft hat ihre einmaligen Konsequenzen; jeder beim Obersten Gerichtshof anhängige Fall verlangt Urteile, die auf Weisheit und nicht auf Berechnungen ungewisser Konsequenzen beruhen. *Die Interpretation in der symbolischen Ordnung ist etwas völlig anderes als die Berechnung in der physischen Ordnung.* Messungen und Berechnungen von Mengen nähern sich in der Regel immer exakteren Ergebnissen, je präziser unsere Instrumente werden. Aber Interpretationen können von einem Extrem zum anderen schnellen. »Hat sie das *wirklich* gemeint? Oder war sie nur sarkastisch?«

Dieser Unterschied zwischen Interpretation und Berechnung ist bedeutsam für die Frage, wie wir unsere Ziele setzen und erreichen. Rückt Spike der Liebe jedesmal ein Stückchen näher, wenn er die süße Cindy küßt, so als ob jeder Kuß gleichbedeutend mit einem weiteren Zuwachs des Volumens seines Herzens wäre? Oder wird er eines Tages, wenn sie weg ist, aufwachen, nur um dann festzustellen, daß es, verdammt, nicht nur eine Gewohnheit war? Er hat sie letzten Endes doch geliebt! Aber wie sollte er das wissen? Er kannte kaum die Bedeutung dieses Wortes

– eine typische Verwirrung dank der Verwendung dieses Begriffs in unserer Pop-Kultur.

Sitten und Gebräuche sind das Werk der Kulturen, und die Kultur ist das Produkt der Sublimierung. Und die Sublimierung ist das Werk von Köpfen, die Symbole, Erinnerungen und Assoziationen nutzen, um ein komplexes Gefüge von Bedeutungen zusammenzuweben. Wie eine Blume, ein Stück Spitze, eine Zeile aus einem Lied oder ein bestimmtes Wort das Herz schneller schlagen lassen können – das sind die Geheimnisse, die nur durch die verschiedenen Bedeutungen der Sublimierung entschlüsselt werden können. Mit Hilfe einiger Instrumente aus der Informationstheorie und der Semiotik hoffe ich, die Bedeutung sublimer Symbole für ein Leben ohne ein »Ziel« klären zu können. Wenn wir die Fuge über die Sublimierung einige Tonlagen höher auf dem semiotischen Register spielen, werden wir hören, wie eine Note, die in einem harmonischen Kontext gespielt wird, in einem anderen dissonant klingen kann. Dieselbe Note – oder dasselbe Wort – kann diskontinuierlich von einer harmonischen (oder moralischen) Bedeutung zu einer anderen überspringen. Liebesbeteuerungen können grausame Witze sein. Hier schleicht sich ein Element der Willkür, Doppeldeutigkeit und regelrechten Betrügerei durch die Tür mit der Aufschrift »Sitte, Kultur und die Sublimierungen der Zivilisation« ein. Denn hinter dieser Tür sitzt ... der Semiotische Spieler.

Wir müssen den Semiotischen Spieler kennenlernen, um in einer Welt der Zeichen und Symbole die Geheimnisse von Gut und Böse kennenzulernen. Der Semiotische Spieler kann uns erzählen, wie eine Verschiebung im Kontext die Bedeutung einer Note oder eines Wortes oder eines Zeichens wesentlich radikaler als eine Verschiebung der Schriftgröße des Zeichens verändern kann. Er wird uns helfen, die Schwingungen von Skandalen und Versuchungen zu erkennen. Mit ihm können wir den Übergang von der einfachen Nützlichkeit in der physischen Ordnung zu den Feinheiten des Sublimen schaffen. Die Physik ist moralisch unschuldig. In der Physik gibt es nichts Böses. Physische Fakten sind einfach, was sie sind. An ihnen gibt es nichts Gutes oder Schlechtes. Nur die Handlungen derer, die Symbole nutzen, betreten den moralischen Bereich. Und diese Handlungen unterliegen immer der Gefahr des Bösen, weil ein Teil dessen, was aus einer physischen Bewegung – wie etwa einem Winken mit der Hand – eine *Handlung* (wie einen Gruß) werden läßt, eine bewußte Absicht ist, und die Absicht einer Handlung ist, soweit sie in Worten artikuliert werden kann, immer offen für Interpretationen und die Möglichkeit der *Zweideutigkeit.*

Der Semiotische Spieler

Semiotik ist die Lehre von den Zeichen. Von allen Zeichen. Straßenzeichen, Reklametafeln, Zahlen, Buchstaben, Worten, Gesten, Statussymbolen, Sie wissen schon. Was immer etwas über sich selbst hinaus *bedeutet*, ist ein mögliches Objekt für die Disziplin, die Semiotik heißt. Genau wie Blumen können auch Autos oder Kleider oder Möbel, die als »Stilaussage« fungieren, eine symbolische Bedeutung haben. Die Linguistik erzählt uns nur etwas über die Bedeutung von Wörtern, aber eine umfassendere Semiotik kann uns helfen, Stilaussagen, Sitten und Gebräuche und die gemischten Botschaften zu interpretieren, die wir von sogenannten Freunden bekommen, die sich vielleicht in aufrichtigem Lob ergehen ... oder sind es nur Schmeicheleien? Die Wissenschaftler werden pingelig auf dem Unterschied zwischen Semiotik und Semiologie herumhacken, aber für unsere Zwecke brauchen wir uns darum nicht zu kümmern. Der Punkt, auf den ich hinauswill, ist so grob, daß ich ihn mit dem unwissenschaftlichen, rhetorischen Ansatz der Personifikation zeigen möchte: Ich greife auf den Semiotischen Spieler zurück.

Wer dieser Semiotische Spieler ist? Stellen Sie sich ihn wie Gott in der Geschichte des Turmbaus zu Babel vor, nur daß der Semiotische Spieler nicht all den verschiedenen Stämmen als Strafe für ihre Überheblichkeit, daß sie versuchen wollten, ein Bauwerk bis zum Himmel zu errichten, verschiedene Sprachen gab. Er streute nur Silben – wo sie gerade hinfielen, so daß dann im zwanzigsten Jahrhundert englische Liebende sagen können: »*I love you*«, deutsche Liebende: »*Ich liebe dich*«, französische Liebende: »*Je t'aime*«, und so weiter. Sie *meinen* grob alle das gleiche – was mitnichten leicht sehr genau definiert werden kann. Aber sie verwenden unterschiedliche Laute und Silben, um es zu sagen. Der Semiotische Spieler ist der liebe Gott, der, entgegen Einsteins Behauptung, mit den Würfeln *spielt*.

Der Punkt, um den es bei der Figur des Semiotischen Spielers geht, wurde von dem Großvater der modernen Semiotik, Ferdinand de Saussure, verdeutlicht. Er nannte ihn »*die Beliebigkeit des Zeichens*«.[42] Dieser Punkt ist von einer solchen Einfachheit, daß Linguistikprofessoren ihn oft gleich am ersten Tag eines Seminars einführen und ihn dann als gegeben voraussetzen, ohne auch nur einen Augenblick innezuhalten, um festzustellen, daß er *alles verändert*. Dabei ziehen sich die Wellen, die er schlägt, durch den ganzen Lehrplan und darüber hinaus bis in jene dunklen Momente der Leidenschaft, in denen es Liebende wagen oder nicht wagen, Liebesworte zu zitieren. Dieser eine Streich von de Saussures Intellekt trennt die Naturwissenschaften für immer von den Geisteswissenschaften. Aber noch wichtiger ist, daß er die Erfindung unserer Menschlichkeit von der Beherrschung der Natur unterscheidet. De Saussures Schritt bringt Licht in jenen Abgrund, der die Natur von der Kultur, das Natürliche vom Künstlichen, die Physik des physischen Bereichs von der Semiotik des symbolischen Bereichs und die wissenschaftliche Messung von Mengen von der semiotischen Interpretation der moralischen Qualität trennt.

Warum ist die Beliebigkeit des Zeichens von so weltbewegender Bedeutung für unser Verständnis von einem Leben ohne »Ziel«? Wenn die Ziele, die wir uns setzen, einen Großteil ihrer Bedeutung aus Symbolen beziehen – wie es mit Sicherheit bei Zielen wie Liebe oder Ruhm der Fall ist –, dann ist die Quelle der Bedeutung unserer Symbole auch die Quelle der Bedeutung unserer Ziele. Wir müssen wissen, wie Symbole ihre Bedeutung gewinnen. Wenn die Sprache eng an eine feste, solide Welt gebunden wäre, dann könnten wir darauf vertrauen, daß die Symbole jene Festigkeit der Welt haben, die sie repräsentieren. Die Welt ist jedoch nicht nur nicht so fest, wie manche Materialisten einst glaubten, die Sprache ist auch lockerer an sie gebunden, als die Linguisten gemeinhin glaubten.

✻

Früher meinten die Linguisten, die Sprache mit drei nichtbeliebigen Ansätzen an die Welt binden zu können: (1) Lautähnlichkeit bzw. der *Onomatopöie*, (2) Zeigen und Benennen bzw. der *Ostension;* und (3) der Evolution der Sprache bzw. der *Etymologie.* Und dann kam Ferdinand de Saussure.

Vor Ferdinand de Saussure waren die Linguisten jahrhundertelang in dem irrigen Versuch steckengeblieben, die Gesetze einer *notwendigen* Verbindung zwischen den Lauten von Wörtern und den Dingen zu finden, die sie repräsentierten. Sie wollten eine feste Basis für die Bedeutung finden, indem sie sie auf die Grundlage eines Bezugs zu einer Absolutheit stellten, sei es zu der objektiven Realität oder der im vergeistigten Bereich platonischer Bedeutungen. Dieses Bemühen geht bis zu den Platonischen Dialogen, dem *Kratylos,* zurück, worin Sokrates und seine Freunde die Beziehungen zwischen den Lauten von Wörtern und den Dingen untersuchten, die sie repräsentieren, und bis zu piktographischen Sprachen wie die ägyptischen

Hieroglyphen, bei denen ein kleines Bild von einem Fisch, keine Frage, »Fisch« *bedeutet*.

Im Unterschied zur geschriebenen Sprache scheint der Versuch bei der gesprochenen Sprache etwas komplizierter zu sein. Schließlich haben wir ein schwieriges, wenn auch sehr beeindruckend klingendes Wort, um eine ganze Kategorie von recht offensichtlichen Lautähnlichkeiten in der Sprache zu benennen: Wir bezeichnen sie als *Onomatopöie*. Oder wesentlich roher und klarer ausgedrückt: die »Wauwau«-Sprachtheorie (onomatopoetische Sprachtheorie). Wir wissen, daß Wauwau sich auf die Laute bezieht, die Hunde machen, weil es so *klingt wie* die Laute, die Hunde machen. Der Bezug zwischen »Wauwau« und dem Bellen von Hunden wird nicht willkürlich hergestellt. Hier gibt es eine natürliche Ähnlichkeit im Laut, die so offensichtlich wie die natürliche Ähnlichkeit der Form ist, die das hieroglyphische Bild vom Fisch mit dem realen Fisch verbindet.

Die Semiotiker verfolgten noch zwei weitere Verbindungen, um Worte nichtbeliebig mit Dingen zu verbinden: die Etymologie und den Vorgang des Zeigens. Ebenso wie die Offensichtlichkeit der Verbindung zwischen »Wauwau« und einem Hundebellen wurde auch der Vorgang des Zeigens, bei dem zugleich gesprochen wird – »Ich Tarzan, du Jane« – als ausreichend angenommen, um die Bedeutung einiger erster Wörter zu verankern. Diese *ostensiven* Definitionen sollten die Bedeutung über den Taufakt des Zeigens und Benennens herstellen. So konnte durch die nichtbeliebigen physischen Beziehungen des Zeigens oder Imitierens durch Laute ein primitives Vokabular hervorgebracht werden. Die Bedeutungen späterer Wörter konnten dann durch die ebenso nichtbeliebigen, von der Etymologie aufgedeckten Verbindungen erklärt werden.

Beim Gesellschaftsspiel »stille Post« wird ein Wort oder Satz reihum im Kreis von einem Ohr zum nächsten geflüstert und – manchmal witzig – auf seiner Reise verändert.

Wobei dann aus »Little Jack Horner« »hit the rack in the corner« oder was auch immer wird. Linguisten, die auf der Suche nach den Bedeutungen moderner Sprachen auf nichtbeliebige Verbindungen zwischen älteren Worten und Dingen stießen, kamen schließlich dahin, die Sprache als ein jahrhundertealtes Stille-Post-Spiel zu betrachten. Der Ansatz schien zu erklären, warum heute so wenige Worte auf der Grundlage der »Wauwau«-Theorie oder Ostension verstanden werden können. So konnten die Linguisten unter Berufung auf verschiedene Kombinationen von Onomatopöie, Ostension und Etymologie die Illusion von einer nichtbeliebigen, natürlichen Verbindung zwischen Wörtern und Dingen bewahren.

Dann kam de Saussure, der dieses Theater, die Sprache als ein langes Stille-Post-Spiel zu betrachten, durchschaute. Er brach mit dem Versuch, nichtbeliebige Verbindungen zu erhalten, und forderte uns auf, jede Sprache als ein Ganzes in sich zu sehen. Dann könnten wir erkennen, warum »rot« (im Deutschen) »red« (im Englischen) heißt, nicht weil der Stamm des einen oder anderen oder beider auf irgendeinen primitiven Vorgang des Benennens zurückgeführt werden kann, sondern weil »rot« in Deutschland *die gleiche Rolle* wie »red« in englischsprachigen Ländern *spielt,* nämlich als die Farbbezeichnung für die meisten reifen Äpfel, für Feuerwehrautos und Telefonhäuschen in England. »*Rot*« wird in der gleichen Weise wie »*red*« verwendet. Wie Wittgenstein gezeigt hat, ist die Bedeutung eines Begriffes in seiner *Verwendung* und nicht in irgendeiner Eins-zu-eins-Verbindung mit einer zeitlosen platonischen Idee von seiner Bedeutung zu finden. Und wie wurde die *Verwendung* des Wortes »Liebe« verwässert!

Die Bedeutung von »rot« hat nichts mit dem Klang des Wortes zu tun, wenn es gesprochen wird, oder mit der Form des Wortes, wenn es geschrieben wird. Wir könnten ebensogut »*slint*« für »rot« und »*pok*« für »blau« sagen. Wenn wir mit irgendeinem Textverarbeitungssystem per

Tastendruck mit entsprechenden Such- und Veränderungs-
begriffen überall das Wort »rot« durch »slint« und das
Wort »blau« durch »pok« setzen könnten, würde es überhaupt keine Verwirrung geben. Denn jeder würde wissen, daß »slint« die Farbe reifer Äpfel bezeichnet und
»pok« die Farbe eines wolkenlosen Himmels und beide
zusammen mit »weiß« die Farben der US-amerikanischen
Flagge, und es gäbe überhaupt keinerlei Verwirrung.

Mit diesem kleinen Gedankenexperiment geraten wir jedoch in gewisse Schwierigkeiten, wenn wir dabei so weit
gehen, die Geschichte der Poesie zu revidieren: »Rosen
sind slint, Veilchen sind pok ...«, und was dann? Aber das
zeigt nur den Unterschied zwischen der *poetischen* Verwendung der Sprache, bei der der natürliche Klang der
Wörter einen Unterschied zu ihrer angemessenen Verwendung und der nichtpoetischen Sprache *macht,* in der die
natürliche Form des Zeichens eine *beliebige* Beziehung zu
seiner Bedeutung hat.

De Saussure erklärte weiter, wie die Sprache vor dem
Hintergrund der Sprachstruktur synchronisch in einem
Zeitraum funktioniert. Wörter erhalten ihre Bedeutung
nicht kraft nichtbeliebiger Eins-zu-eins-Beziehungen zu
Dingen und ebensowenig dadurch, daß sie im Laufe der
Zeit ihre Bedeutung erben; Wörter erhalten ihre Bedeu-
tung vielmehr kraft *des Platzes,* den *sie* in dem breiten Git-
terwerk der heutigen Sprache *einnehmen.* Jedes Wort
markiert in der Sprache *einen Platz,* eine stabile Adresse.
Und es ist die Sprache als Ganzes, die jedem Wort seine
Bedeutung gibt, und nicht die Form oder der Laut irgendeines Wortes an sich.

Wörter sind genau wie Zeichen keine sich selbsterhalten-
den Dinge, die einen Standortwechsel überdauern können.
Sie sind mehr wie Zahlen als wie Steine. Sie können einen
Stein von New York nach Chicago mitnehmen, und es ist
immer noch derselbe Stein. Wenn Sie jedoch die Zahl 9 von
ihrem Standort zwischen 8 und 10 an einen neuen Standort

zwischen 3 und 5 verschieben, dann kann mit Fug und Recht behauptet werden, daß es mitnichten mehr die 9, sondern eine 4 ist. Wenn ein Kind darauf beharrt zu zählen: 1, 2, 3, 9, 5 . . ., werden Sie es geduldig darauf hinweisen: »Nein, zwischen 3 und 5 kommt 4; 9 kommt nach 8 und vor 10.« Die Adresse wird durch ihre Nachbarn, nicht durch ihren Namen bestimmt. Und ebenso ist es mit Wörtern: das alles Entscheidende ist die Nachbarschaft, der Kontext. Wenn es darum geht, den Bedeutungen von Wörtern Rechnung zu tragen, denken Sie an die drei Gesetze, die den Wert von Immobilien bestimmen: der Standort, der Standort, der Standort.

De Saussure sah all das sehr klar, und für diejenigen, die die Bedeutung seiner Erkenntnisse verstanden, war die Beschäftigung mit alten Sprachen dann nicht mehr mit Archäologie verwandt. Die *Form* eines Wortes war mit einemmal nicht mehr wie die Form eines ausgegrabenen Steingutgefäßes der Schlüssel zu seiner Bedeutung. Und auch die Etymologie war nicht mehr so wichtig, wie sie einmal war. Statt dessen deckten die Linguisten die Strukturen auf, die in der *heutigen* Verwendung der Sprache evident sind: Sie fingen an, linguistische Nachbarschaften zu erfassen, ohne sich allzuviel Gedanken darüber zu machen, wie es dazu kam, daß sie so waren, wie sie waren, oder darüber, welche Baumaterialien (welche Buchstaben) verwendet wurden, um jedes Haus (jedes Wort) zu bauen. Die Semiotiker zerbrachen sich nun nicht mehr über die lineare Melodie der Etymologie den Kopf und fingen statt dessen an, auf die Harmonien zu horchen, die zu jedem beliebigen Zeitpunkt in der Geschichte aus vielen Wörtern herauszuhören waren. Diese Verschiebung des analytischen Ansatzes – *von* der Suche nach den historischen Ursprüngen über die Etymologie *zum* Erkennen synchronischer Muster in einem Zeitraum – sieht vielleicht wie ein kleiner theoretischer Kniff in einer relativ geheimnisvollen Disziplin aus. Aber die damit verbundenen Implikationen für das Verständnis des menschlichen Bewußtseins sind immens: Damit sind wir mit einem einzigen Schlag los, was vielleicht die festen Fundamente historischer Ursprünge gewesen wären. Wir sind der ursprünglichen Essenz beraubt und entlassen, einen Sinn in der gegenwärtigen Existenz zu finden. Die Moral ist losgelöst von den Theorien der *menschlichen Natur,* weil der Sinn unserer Handlungen durch die *menschliche Kultur* definiert wird. Und Kulturen verändern sich und unterscheiden sich voneinander.

Die Fiktion des Semiotischen Spielers muß nicht allzu wörtlich genommen werden. Einstein redete nicht theologisch, als er sagte, der liebe Gott würfele nicht. Er benutzte die Sprache der Parabel, um eine Behauptung über die Physik aufzustellen – daß die physische Welt absolut deterministisch ist: daß sie von Gesetzen beherrscht wird, die nichtbeliebige, bindende Beziehungen zwischen physischen Dingen beschreiben. Was nach oben geht, *muß* wieder nach unten kommen – jedesmal. Und genauso sollten Sie die Fiktion des Semiotischen Spielers als einen Weg sehen, die Tatsache zu beschreiben, daß die Beziehung zwischen physischen Dingen und der Sprache mit einigen irreführenden Ausnahmen (wie der Onomatopöie und einigen Feinheiten der Lautlehre) weitestgehend *beliebig* ist.

Semiotik und Sublimierung

Sobald man die Schrullen und phantastischen Schöpfungen des Semiotischen Spielers einschätzen gelernt und die Bedeutung der Beliebigkeit des Zeichens voll akzeptiert hat, ist die Beziehung zwischen der physischen Sexualität und ihrer Sublimierung in der Sprache der Liebe mit einemmal ganz anders. Bei der Sublimierung der Sexualität geht es mitnichten darum, den Körper bei einer platonischen Flucht zum »Ziel« des Sublimen hinter sich zu lassen. Und ebensowenig stellt sich die Notwendigkeit von Freuds kalter Dusche. Der Punkt ist mitnichten, das Physische zu transzendieren. Der Punkt ist vielmehr, die reine zitternde Erregung des physischen Verlangens dadurch zu erhöhen, daß ihre Echos in den verschiedenen Sinn- und Bedeutungsregistern gehört werden: Sex, so wie Ned ihn liebt – mit offenen Augen und einem arbeitenden Geist, der sich Hemmungen und der Versuchung der Überschreitung bewußt ist. Je stärker der ursprüngliche physische Impuls, desto wahrscheinlicher ist es, daß sublime Resonanzen ausgelöst werden. Es ist gut, daß Spikes Hormone funktionieren. Das einzige, was jetzt noch vonnöten ist, ist, daß er die höheren Register findet.

Die Verdoppelung, die in der Symbolik erreicht wird, ist mehr eine *Zweideutigkeit* als die physikalische Wiederholung eines Echos. Und in einem grammatischen Raum wie der Sprache hallt das Erotische wider. Nicht nur die Hormone treiben den Geist, auch der Geist treibt die Hormone. Die Kultivierung der Sexualität von der reinen Fortpflanzung zu den Höhen der Erotik folgt einer strengen Grammatik. Bestimmte Dinge passen in einer bestimmten frechen und erregenden Weise zusammen, wie Strümpfe und Strapse. Genau wie die Grammatik der Sprache ermöglicht auch diese erotische Grammatik die Bildung einer endlosen Zahl von neuen Sätzen. Und genau wie die Sprache steht auch diese erotische Grammatik mit einem Fuß im Physischen und mit einem Fuß im Sublimen.

De Saussures Entdeckung *verändert alles*, von der Sexualität bis zur Wirtschaft. Damit, daß er uns den entscheidenden Hinweis für ein neues Verständnis der Sublimierung lieferte, lieferte er uns auch den Schlüssel für eine neue Einschätzung des Sublimen. Das Sublime ist nun nicht mehr als ein Bereich zu vergöttern, der tatsächlich die menschliche Erfahrung transzendiert. Jetzt ist das Sublime im Bereich des *Möglichen*, aber nur, wenn wir es kreativ erreichen. Das Sublime ist nun nicht mehr etwas, was als ein blasser Schatten einer Realität zu verspotten ist, die ganz und gar und nur materiell ist. Das Sublime ist nunmehr so real wie Materie, aber es braucht einen Geist, um es zu erkennen und zu interpretieren. Die Sprache der Liebe ist kein blasser Schatten bzw. keine verzerrte Repräsentation *des realen Dings* mehr. Die Sprache der Liebe befördert und steigert jetzt die physischen Empfindungen, auf denen sie beruht. Die Kultivierung des Triebes in die Kunst ist jetzt nicht mehr einfach eine Umleitung vitaler Energie in entkräftete Reflexionen. Diese »Reflexionen« erhellen und vergrößern jetzt in Wirklichkeit ebenjene Triebe, auf deren Ursprung sie zurückgehen. Die Sublimierung des Eros ist nicht mehr gleichbedeutend mit einer Entkräftung, so als würde man zulassen, daß heiße tropische Säfte gekühlt werden, indem man sie in lauwarme Tümpel entschwinden und durch nördliche Kanäle abfließen läßt. Die Sublimierung des Eros kann nunmehr sexyer als der aufsteigende Saft jugendlichen Begehrens sein.

Und es macht auch keinen Sinn, die verschiedenen Farben von Spitze durch eine Reihe nichtbeliebiger, wortwörtlich ausgelegter Pawlowscher Assoziationen im Sinne einer Reiz-Reaktions-Theorie, einer Onomatopöie der Spitze, einer »Wauwau«-Theorie der Reizwäsche, mit verschiedenen Botschaften zu verbinden. Solche Vorstellungen über die Beziehung zwischen Biologie und dem Sublimen verfehlen einfach die welterschütternde Diskontinuität, die das Physische von dem Semiotischen trennt – jene breite Kluft, die durch de Saussures Entdeckung der Beliebigkeit des Zeichens aufgetan wurde.

Mit der Eröffnung dieser Kluft führte de Saussure die Linguistik von der Beschäftigung mit Ursprüngen – Adam-und-Eva-Worten – weg zu einer Beschäftigung mit den strukturellen Beziehungen in der heutigen Sprache. Diese Strukturen stellen nach wie vor die Verbindung von einem Wort zum anderen her. De Saussure machte nicht den Sprung zu Platons vergeistigtem Bereich der reinen Ideen. Das Sublime hat vielmehr eine ganz und gar eigenständige

Existenz, es ist ein Flechtwerk von Beziehungen, das nicht mehr von der physischen Existenz abgeleitet und nicht minderwertiger gegenüber der physischen Existenz ist, so wie Spitze nicht minderwertiger als Gore-Tex ist. Noch mal: Spitze ist *nicht dazu da*, den Regen abzuhalten.

Die gute Nachricht bei dieser neuen Interpretation der Sublimierung auf der Grundlage der Semiotik ist, daß wir aus etwas Gegebenem mehr machen *können*. Genau wie das Leben den Aufgeweckten mehr gibt, die die humorige Seite sehen, wo den nüchternen und prosaisch Denkenden der Witz entgeht, so werden die erotisch Bewanderten durch etwas zur Leidenschaft erregt, was andere völlig kalt läßt. Der aufgeweckte, lebendige Geist lebt in einer reicheren Welt, da ihm die vielfältigen Bedeutungen jedes Augenblicks und die verschiedenen Skalen und Register der Bedeutung bewußt sind. Mit den Scheuklappen, die nur auf die enge Zielmarke eines einzigen »Ziels« ausgerichtet sind, gehen utilitaristische Funktionäre einfach stur Heil wie Roboter, die auf ein einziges Ziel programmiert sind, weiter geradeaus.[43]

Die Semiotik und der Ursprung des Bösen

Jetzt zu den schlechten Nachrichten, die sich aus de Saussures Befreiung der Symbole von den nichtbeliebigen Anbindungen an Dinge ergeben. Das Böse ist unvermeidlich, weil seine Quelle unter den Unschuldigsten zu finden ist. Der Ursprung des Bösen ist im Spiel der Unschuldigen zu finden, im Witz, der danebenging. *Der Ursprung des Bösen ist im Spiel und im Necken und im Herumscherzen zu finden.* Das Freche rutscht manchmal zur Dekadenz ab. Das verspielte Necken, das ein Akt der Liebe sein *könnte,* gerät statt dessen zu einem Schritt der Verderbtheit.

Ein Witz braucht, um ein Witz zu *sein,* immer eine gewisse Art von *Zweideutigkeit,* eine gewisse Wortspielerei oder eine Verschiebung des Kontextes, damit eine Pointe entsteht. Jedes Stückchen Humor beinhaltet immer eine gewisse *Verdoppelung.* Soweit ein Spiel Humor beinhaltet oder humoristisch ist, wie etwa, *wenn jemandem ein Streich gespielt wird,* dann ist klar, daß der Scherz mißverstanden werden *kann.* Wenn er, um damit zu beginnen, nicht wirklich und gelungen zweideutig ist, ist er vielleicht kein guter Witz. Aber die Trennungslinie zwischen einem guten und einem schlechten Witz ist oft sehr fein.

Diese Struktur des Humors und Spiels determiniert von vornherein, daß das Spiel früher oder später danebengehen wird. Und sobald der Witz danebengeht, jemand den Witz nicht erfaßt, ihn nicht *als Spaß auffaßt,* ist die Verletzung da, auf die es im Zweifel eine Antwort gibt, dann eine weitere Reaktion, dann Vergeltungsmaßnahmen, dann Rache, dann Gegenbeschuldigungen, dann noch eine grausamere Rache ... und dann kann alles passieren, auch das Böse. Und alles fing mit einem Witz an. »Ich wollte dich wirklich nicht verletzen«, protestiert man. »Es war nur ein Witz ...« Aber die Saat des Bösen wurde damit bereits gesät.

Daß sich der Ursprung des Bösen im Spiel der Unschuldigen finden läßt, ist deswegen eine schlechte Nachricht, weil sie bedeutet, daß wir das Böse nie ein für allemal auslöschen können. Die Saat des Bösen liegt bereit, um in jedem Gespräch zu keimen, in jeder symbolischen Beziehung, die es zuläßt, über den engen prosaischen Rahmen hinauszugehen.

Die wortwörtliche Auslegung schien im Rahmen einer industriell-materiellen Ordnung der *Dinge,* im Unterschied zu einer Ordnung der *Zeichen,* angemessen. Nicht alles, was glänzt, ist tatsächlich Gold, und es zahlt sich aus, wenn man Wege und Möglichkeiten hat, den Unterschied zwischen 14 und 18 Karat reinem Goldgehalt zu bestimmen. In der symbolischen Ordnung sind die Dinge nicht immer so klar und endgültig. Aber sobald die wortwörtliche Auslegung auch nur einen Zentimeter Spielraum zur Allegorie, Metapher, Ironie oder zu irgendeinem anderen anschaulichen Wortbild erlaubt, kann das Böse entstehen, sobald jemand die Verspieltheiten literarischer Findigkeiten nicht zu schätzen weiß. Wenn Sie den Witz nicht verstehen, wenn Ihnen die zweite Ebene einer Doppeldeutigkeit verschlossen bleibt und wenn Sie meinen, daß die erste meine Absicht darstellt, dann können Sie mein wahres Anliegen nicht verstehen. Und daß Sie meine wahren Absichten nicht verstehen können, bedeutet, daß Sie mir eine Absicht unterstellen, die die Bedeutung meiner Handlungen aus Ihrer Sicht verändert.

Diese ganze Dynamik kann dem Semiotischen Spieler angelastet werden. Sie ist *sein* Werk, sein Fehler. In dem Augenblick, in dem Sie das semiotische Reich betreten, in dem Augenblick, in dem materielle Dinge zu Zeichen werden und eine andere Ebene von *Bedeutungen* hervorbringen, die nichts mit ihren physischen Formen als *Dinge* zu tun haben, haben Sie dem Semiotischen Spieler die Möglichkeit gegeben, mit diesen Bedeutungen in einer Weise herumzuspielen, die wenig mit der Unschuld physischer Notwendigkeit zu tun hat.

Was können wir tun, um zu verhindern, daß das Spiel im Bösen endet? Indem wir aus dem Spiel Spiele mit Regeln machen. Fordern Sie die andere Bande nicht einfach heraus, nur um zu sehen, ob Ihre Bande im Kampf – alle Griffe sind erlaubt – die Kokosnuß zwischen den Palmen bekommen kann. Schaffen Sie Regeln – wie die Regeln beim Fußball –, so daß Sie sich bei Ihrem Spaß nicht gegenseitig umbringen. Auf diese Weise sublimieren wir das Spiel zu einem strukturierteren Milieu. Bei einem Spiel ist das Spektrum möglicher Absichten hinreichend umschrieben, so daß selbst dann, wenn die Doppeldeutigkeit das Entscheidende bleibt – das Täuschungsmanöver des Sportlers mit seinem Scheinangriff in die eine Richtung, ehe er dann in die andere rennt –, Diffamierung, Folterung, Herzensqual oder Ermordung des anderen Mitstreiters als Reaktion darauf ausgeschlossen ist.

Sobald wir das Spiel durch Regeln eingrenzen, sind wir auf dem Weg zur Kultur, mit all ihren Sitten, Regeln und Regularien. Es ist Sache der Politik, die Regeln der Spiele auszuhandeln, die wir spielen. Das Paradox des Postmodernismus besteht darin, daß *die Politik, die zunehmend symbolbeladen und vermittelt ist, ebenso notwendig wie verderbt ist.* Wir brauchen politische Institutionen, die die Spielregeln eingrenzen; aber diese politischen Institutionen haben dadurch, daß wohlmeinende Interessengruppen neben den oder anstelle der beabsichtigten Ziele nichtintendierte Begleiterscheinungen bewirken, die Eigenart Böses hervorzubringen und es zu verschlimmern. Insbesondere mit dem Abschied vom industriell-politischen und dem Eintritt ins informationswirtschaftliche Zeitalter sehen wir uns immer wieder mit jenen Paradoxien der Politik konfrontiert, mit denen dieses Kapitel begann. Inzwischen dürfte jedoch klar sein, daß die Politik diese Paradoxien nicht nur hervorbringt, weil der Staat so *groß* ist, sondern auch, weil der Staat zu sehr wie eine *Maschine* ist.

Der Staat ist nicht sublim. Der Staat spielt nicht. Dem Staat fehlt jeder Sinn für Humor. Es gab einmal eine Zeit, in der die Politik eine gemeinsame Beschäftigung vieler Menschen auf der Grundlage gemeinschaftlich geführter Diskurse war. Im perikleischen Athen war der politische Diskurs ein gemeinsamer Akt der Beratung, eine fast künstlerische Anregung einer Gemeinschaft, sich über die jeweils anliegenden Dinge zu verständigen und das Beste daraus zu machen. Inzwischen sind beide, die Genialität Athens als auch die *der Verfassung,* in der Erinnerung so verfestigt, wie *Beethovens Fünfte* als »klassisches Werk«. Wenn wir die Kultur und die Natur verwechseln, besteht durchaus die Gefahr, daß wir uns von einem Glauben an die unverbrüchliche Festigkeit dessen, was wir respektieren, gefangennehmen lassen.

Freiheit verlangt, daß wir ein klares Gespür für die Formbarkeit des menschlichen Zustandes haben. Die Gesetze der Physik mögen sich dem menschlichen Willen nicht beugen, aber die Regeln, die wir für unsere Spiele konzipieren, unterliegen der menschlichen Modifikation. Überschreitungen testen diese Regeln und halten uns sowohl ihre Macht *als auch* ihre Formbarkeit vor Augen. Ned geht das Risiko der Peinlichkeit ein: daß Lila ihn einen Fetischisten nennt. Künstler probieren ständig die Grenzen der Anstandsregeln aus. Es gibt keine Wissenschaft der Überschreitung. Nur wenig ist garantiert, nicht die morgendliche Zeitung, nicht der Milchmann, nicht der Postbote, nicht einmal die Liebe.

Die Erfahrung der »Ziellosigkeit« verlangt eine sehr spezifische Art der Philosophie: keine Philosophie wissenschaftlicher Beweise und Garantien, sondern eine Ästhetik, die auf die Frage eingeht, wie man *ohne* Beweise und Garantien lebt. Die so weit geht, daß »Ziele« nicht objektiv *gegeben* sind, wie etwa der Unterschied zwischen Schafen und Ziegen; die so weit geht, daß »Ziele« nicht einfach *da* sind, man kann sie nicht einfach nehmen und nach ihnen wie nach einer klar definierten Arbeitsplatzbeschreibung leben; die so weit geht, daß die eigenen Ziele jeweils entsprechend der wachsenden Erfahrung, des zunehmenden Urteilsvermögens und der Kreativität gesetzt werden müssen. Ohne ein »Ziel« zu leben verlangt ein kunstvolles Leben.

Das kunstvolle Leben

Ich glaube, daß unser ästhetisches Gespür sich, ob bei Kunstwerken oder im Leben, übermäßig auf *das hartnäckige Ringen um ein einziges Ziel* statt auf das Nichtendgültige, das Wandelhafte, das Improvisatorische konzentriert. Wir sehen die Erreichung dieses Ziels als zweckmäßig und monolithisch an, als ginge es dabei um die bildhauerische Arbeit an einem schweren Baumstamm, der zunächst aus dem Wald gebracht und dann in langer mühseliger Arbeit nach den Vorstellungen des Künstlers gestaltet werden muß, statt als etwas, das aus Kleinigkeiten und Resten wie eine Patchwork-Decke hergestellt und liebevoll genutzt wird, um verschiedene Nächte und Körper zu wärmen.

Catherine Bateson, *Composing a Life*[44]

Kapitel 9

Der Prozeß, ein Leben zusammenzusetzen, hat sehr viel Ähnlichkeit mit dem Prozeß der Erschaffung eines Kunstwerkes. Es wäre wohl prätentiös, sich selbst als »ein Kunstwerk« zu sehen – schließlich hat dieser Ausdruck einen Beigeschmack von feierlichem Ausstellen, vom Rahmen und Zurschaustellen des kostbaren Selbst –, aber dennoch gilt, daß vieles, was für die Herstellung von Kunst gilt, gleichermaßen für die Kultivierung des Selbst gilt: die Forderung nach Einmaligkeit, die mit der Erfordernis verbunden ist, zumindest für einen Teil der Konstruktion vorrätige Stücke zu verwenden; die schwindelerregende Freiheit des Ausdrucks, sobald man von der Forderung nach photographischer Genauigkeit bzw. Wortwörtlichkeit befreit wurde; die Angst vor Beeinflussung durch diejenigen, die den Weg schon vorher gegangen sind und ihn gezeigt haben, denen man aber aus Furcht, in reines Kopieren zu verfallen, nicht Schritt für Schritt folgen kann.

Kunstvoll zu leben sollte nicht mit dem Erstreben des »Ziels« absoluter Schönheit verwechselt werden. Ebensowenig würde ich das Prätentiöse des Ästhetikers befürworten, der behauptet, daß sein Leben Kunst *ist*. Der Ästhet macht sich – eigenartiger- und ironischerweise – der buchstabengetreuen Auslegung schuldig, indem er versucht, sein Leben zu eng nach der Kunst zu modellieren. Es ist besser, die künstlerische Schöpfung als eine *Metapher* zu nehmen: in der künstlerischen Kreativität ein Modell oder eine *Ähnlichkeit* für die Herausforderung zu sehen, ein Leben ohne ein »Ziel« zu leben.

Die Aufgabe des Künstlers *ähnelt* der Aufgabe zu leben, sowohl dahingehend, daß beide kein Ziel oder keinen Zweck außerhalb ihrer selbst haben, als auch dahingehend, daß beide keine Erfolgsgarantie haben. Des weiteren verlangen beide, das Leben wie die Kunst, ein Gleichgewicht von Freiheit und Disziplin. Beide, das Leben wie die Kunst, finden in realer Zeit statt. Beide bauen auf dem Vorangegangenen auf. Beide verlangen die Fähigkeit, die Bewegung von der Tradition zum Nochniedagewesenen frei auszulegen. Beide verlangen Kreativität.

*

Wie soll man nun unter den geringeren Zielen wählen, aus denen sich die Patchwork-Decke des Lebens zusammensetzt? Wenn das Leben ohne ein einziges »Ziel« so etwas wie Patchwork ist, wie groß werden die Stücke dann wohl sein? Wie und wie fern sind die Ziele, die das Veralten der absoluten Wahrheiten überleben? Wenn die beeindruckenden Tapisserien ultimativer »Ziele« nicht mehr verfügbar sind, laufen wir Gefahr, auf die hauchdünne Unmittelbarkeit des Augenblicks zurückgeworfen zu werden. Dann würden sich alle unsere Motivationen aus der Schubkraft des unmittelbaren Impulses statt aus der Zugkraft irgendeines religiösen oder ideologischen Schicksals ableiten. Bedingt Nietzsches »Ziellosigkeit an sich«, daß wir unfähig sind, noch irgendwelche Pläne zu machen?

Diese Sache mit der »Ziellosigkeit« macht sich leicht lächerlich. »Ziellosigkeit«: Das Wort beschwört ein Bild von Personen herauf, die in einem Büro herumsitzen und nichts zu tun haben; von einem Management der Gegenstandslosigkeit; von einer ernsthaft drohenden Langeweile; einer verhängnisvollen Lustlosigkeit, die sich wie eine schwüle Tropennacht über die Gesellschaft legt. Natürlich werden wir Ziele haben, viele Ziele, die wir wie die Patchwork-Decke in Catherine Batesons Zitat zusammenflicken werden. Und wir werden diese verschiedenen Ziele jeweils in den verschiedenen Rhythmen verfolgen, die sie verlangen; Ziele, von denen einige sehr kurzfristig und einige längerfristig sind. Schließlich ist die Idee, von Tag zu Tag, von Stunde zu Stunde, ohne jedwede Ziele zu leben, absurd. Wenn Sie die »Ziellosigkeit« zur *Regel* statt zu einem Glaubensprinzip machen, werden Sie nicht sehr weit kommen.

Es muß uns möglich sein, einige unserer Handlungen zumindest so weit zu projektieren, wie die Bartnelke braucht, um aus den Samen zu erblühen – mindestens zwei Vegetationsperioden. Ansonsten würden wir nie irgendwelche Früchte der Kultivierung oder Kultur erzielen, die Koordination, Planung, Disziplin und Praxis verlangen. Wir würden nie eine Symphonie hören. Die »Ziellosigkeit« kann *keine Regel*, nur ein Glaubensprinzip sein.

Und der clevere Leser denkt jetzt vielleicht: *Ah, das ist jetzt der Punkt, an dem er alles wieder zurücknimmt. Er begann mit einer kühnen These: der »Ziellosigkeit«. Und jetzt wird er angesichts all der offensichtlichen Gegenbeispiele diese These zu etwas so Harmlosem abschwächen, daß jeder sie akzeptieren kann.* Nein, ich werde nicht alles zurücknehmen. Um zu zeigen, wie die »Ziellosigkeit« das Prinzip unseres Glaubens sein kann, selbst wenn wir viele Patchwork-Ziele verfolgen und erreichen, greift dieses Kapitel nunmehr das Erschaffen der Kunst als Metapher für ein Leben ohne eine »Ziel« auf.

Kunst und Ethik

Ich habe mich auf die Kunst als Orientierungshilfe, wenn auch nicht als Regel, fixiert. Die Kunst hat keinen Zweck außerhalb ihrer selbst. Ein Kunstwerk leistet keine Arbeit. Sie muß nicht in irgendeinem Namen etwas gewinnen, deshalb dient sie keinem Zweck, der über sie selbst hinausgeht. Wenn sie versucht, im Namen irgendwelcher besonderen Interessen zu wirken, verfällt sie in Propaganda. Statt für die schönen Künste zu stehen, gerät sie zur Dekoration für eine Doktrin. Genau wie Kunststudenten sagen: »Haben Sie eine Botschaft? Schicken Sie ein Telegramm.« Und genauso meidet man ein Leben, das jede Geste auf einen Schritt reduziert, der uns einem einzelnen klaren »Ziel« näher bringt.

Die Schwierigkeiten des künstlerischen Schaffens haben sehr viel Ähnlichkeit mit den Schwierigkeiten bei der Schöpfung des Selbst. Was erklärt, warum Ästhetik und Ethik einander ähnlich sind, ähnlicher als den Naturwissenschaften oder der Mathematik. Bei Ästhetik und Ethik geht es um die Beurteilung des Einmaligen und Besonderen, während es bei den Naturwissenschaften und der Mathematik um die Gesetze des Universalen und Wiederholbaren geht, worum es im menschlichen Leben nie geht.

Wenn ich auf diese Nähe zwischen dem Guten und dem Schönen hinweise, stelle ich vielleicht nur das Offenkundige fest. Gleichwohl bleibt, daß die Zeitschriften der akademischen Philosophie und die Kasuistik der professionellen Ethiker (was für ein furchtbares Wort!) eine fast universale Befolgung eines Kodexes des konsequenten Rationalismus annehmen, der einer strikten, einfachen, linearen Logik folgt. Ich bestreite nicht, daß das Herz seine Gründe hat oder daß Leidenschaften ihre Strategien haben. Aber die Turbulenzen meiner Emotionen haben mehr Ähnlichkeit mit den Turbulenzen der Wolken über dem Pazifik als mit den Schaltplänen für meinen Computer. Das Tiefdruckgebiet links auf meiner emotionalen Karte bedeutet wahrscheinlich Tränen für morgen, aber wer weiß? Die Wahrscheinlichkeiten sind eher erspür- als kalkulierbar.

Unsere ethischen und ästhetischen Urteile sind nicht von ihren Einflüssen zu trennen, so wie etwa Schlußfolgerungen von Prämissen zu trennen sind. Es ist keine Frage von Schritt eins und zwei, daß wir zu Schritt drei gelangen. Picassos *Guernica* ist nicht schön, weil es bestimmte Motive enthält; seine Schönheit besteht in der Vermischung und Gesamtheit aller Motive. Ebensowenig ist mein Verhalten gut oder schlecht, *weil* es positive Effekte hervor-

192

brachte oder sich aus bestimmten Absichten ableitete. Unsere Urteile entspringen Wahrnehmungen, die weniger syllogistisch als die Berechnungen von Logikern sind. Was nicht heißen soll, daß sie irrational sind oder daß sie keine wie auch immer geartete Verteidigung zulassen. Aber die Verteidigungen, die wir für unsere moralischen Entscheidungen anführen, sehen weniger wie logische Beweise und mehr wie Literaturkritik aus.

Das Werk des zeitgenössischen Künstlers – der weder bei der Kirche unter Vertrag steht noch an die getreue Wiedergabe der Realität gebunden ist – ahmt ein Leben nach, das keine klare Meßlatte für den Erfolg hat. Klar, der postmoderne Künstler kann auf eine naturgetreue Gestik zurückgreifen und die Photographie oder Popbilder aus der Welt der Werbung und Unterhaltung nutzen. Aber diese darstellende Gestik ist in einer Weise ironisch, die es bei den Porträts und Landschaftsbildern des neunzehnten Jahrhunderts nicht gab.

Genauso kann das kunstvolle Leben auf die von der Wissenschaft und Religion angehäuften Berichte und Schilderungen zurückgreifen. Ein nützlicher Maßstab ist die physische Gesundheit; und ein weiterer könnte eine gewisse Demut vor etwas sein, das größer als Sie ist. Aber dem postmodernen Leben fehlt bei der kunstvollen Einverleibung der verschiedenen Elemente jede sichere Grundlage in der Realität, so wie ein zeitgenössisches Kunstwerk der einfachen Darstellung einer Landschaft enthoben ist. Die alten Maßstäbe für das Leben – Wie groß ist Ihre Familie? Wieviel Stück Vieh besitzen Sie? – sind so obsolet wie die naturgetreue Darstellung der Kunst. *Und genau wie die Kunst der Photographie die Aufgabe der naturgetreuen Darstellung überlassen hat, so hat auch das Leben der Technologie die Aufgabe überlassen, einfache definierbare Funktionen mit klar beschreibbaren Zielen zu erfüllen.*

*

Ich höre Beethovens Fünfte als *Beethovens Fünfte*. Wie hörte Beethoven sie? Wie höre ich mein Leben? Manchmal gelingt es mir, die Dinge auf mich zukommen zu lassen und jeweils zu sehen, wie ich zurechtkomme und das Beste daraus machen kann. Manchmal höre ich auf Anleitungen von anderswo, die mir eine Richtung geben; nicht von Politikern und noch weniger von Priestern. Ich habe mir einige mittlere Kurskorrekturen erlaubt: einen Berufswechsel vom Lehrenden zum Berater. Ich habe eine Scheidung hinter mir. Ich kann diese Schritte nicht rechtfertigen, indem ich auf ein groß angelegtes Muster verweise. Sie erschienen mir jeweils wie eine gute Idee. Könnte eine Künstlerin mehr dazu sagen, *warum* sie gerade *die* Farbe gerade *dort* aufgetragen hat?

Der Künstler lebt mit leeren Seiten und leeren Leinwänden, und es ist nicht einmal sicher, ob die Leinwand überhaupt das Medium der nächsten Schöpfung sein wird. Vielleicht wird das nächste Kunstwerk ein Arrangement aus Seilen oder eine Neufassung von bereits gedrucktem Material oder eine Ausgrabung oder ein einfacher Akt des Schreibens sein. Wir anderen erwarten, daß die Leinwand voll ist, ehe sie eine Rolle in unserem Leben spielt. Wenn Sie an jeden Tag herangehen, wie ein Künstler an eine leere Leinwand, der weder nach der Vorlage von irgend jemandem malt noch versucht, irgendeine Szene photographisch genau darzustellen, dann sind Sie mit der Herausforderung der Kreativität konfrontiert. Warum den Pinsel in das Gelb statt in das Blau tauchen? Gibt es irgendeinen wirklichen Grund, Metzger oder Bäcker zu sein? Die *Gründe*, so wie sie sind, haben letztlich mehr mit der Integrität des Ganzen – des ganzen Kunstwerkes oder des ganzen Lebens – als mit irgendeinem »Ziel« oder Interesse zu tun, das jenseits des Kunstwerkes oder des Lebens liegt. Die Befolgung der Regeln für die Anordnung der Mittel zum Zweck kann weder Schönheit noch Glück garantieren.

Die Kreativität ist weniger eine Frage von zielgerichteter Arbeit als eine der subtilen Mischung von Disziplin und Spiel. Der Künstler leidet unter einem Muß zur Freude, einer Pflicht, im Vergnügen zu schwelgen. Jemand muß diese Grenzen der Seligkeit erkunden und die Fallstricke entdecken. Es gibt Risiken. Es ist kein Zufall, daß Künstler Unglück erleiden. Es liegt in der Natur der Sache, daß sie Risiken eingehen. Aber wenn man schon Risiken auf sich nehmen muß, welcher Platz wäre dann besser als der im Paradies der Freude?

Über meinem Schreibtisch hängt ein Spruch der Künstlerin Jenny Holzer, die den weithin geläufigen Aphorismus:»Beschütze mich vor dem, was ich möchte« geprägt hat. Der Spruch an meiner Wand lautet:»Wenn du ein Höchstmaß an Freude findest, wirst du ein besserer Mensch, wenn du vorsichtig bei dem bist, was dich entzückt.« Aber wie geht man vorsichtig Risiken ein?

Ich bin das Risiko der Glückseligkeit der sublimen »Ziellosigkeit« eingegangen, aber es fällt mir schwer, das Gefühl zu vermitteln. Es hat einen Grund, warum es so wenig gut Geschriebenes über die Ekstase gibt. Die Götter und Göttinnen mögen keine Liebenden, die küssen und dann darüber berichten. Aber jemand muß doch eine Rückmeldung von den äußeren Grenzen des menschlichen Glücks geben. Jemand muß doch bereit sein zu sagen: *»Das sind die glücklichen Inseln. Wirf hier deinen Anker aus und lerne die Glückseligkeit kennen.«* Jemand muß doch eine Rückmeldung aus dem Paradies geben. Wie sollen wir sonst wissen, wann wir es gefunden haben?

Protestanten, Juden oder Japaner haben in der Regel einen eingebauten Regler für ihre Fähigkeit zur Freude. Unsere Freude kann nicht über einen bestimmten Punkt hinaus, ohne daß ein automatischer Hemmechanismus einrastet. Für Intellektuelle jedweden Glaubens ist es unmodern und auch unschicklich zuzugeben, daß sie glücklich sind. Nietzsche murrte wütend über das »er-

bärmliche Behagen«. Er sang aber auch von den »glücklichen Inseln«.[45]

Aber nicht nur unsere Ambivalenz zur Glückseligkeit
und Freude, sondern auch die vertrauten Themen in der
Kunst und im Humor bieten Beispiele, wie zielgerichtetes
Verhalten sich selbst zum Verhängnis werden kann. Jedes
verweist auf die Gefahren, Patentrezepte darüber anzubieten, wie man ohne ein »Ziel« lebt. Ein Zehn-Punkte-Pro-
gramm für ein Leben ohne »Ziel« geht genauso sicher daneben wie ein in aller Ausführlichkeit erklärter Witz.

Den Themen, die ich hier zur Fuge zusammengeflech-
ten habe – Kunst, Humor und das Streben nach Freude –,
haftet die störende Aura einer Entschuldigung für Luxus
und Extravaganz in einer Zeit an, in der die Erde sich solches kaum leisten kann. Aber im Bereich des Sublimen ist
Extravaganz nicht nur erlaubt, sondern erforderlich. Wir
müssen Handel und Verkehr vom Metabolismus der Bedürfnisse, der Masse, der Arbeit und der Produktion zum
Metabolismus des Begehrens, des Sublimen, des Spiels und
der Konsumtion verlagern. Aber das werden wir solange
nicht tun, bis wir einige unserer alten Ziele der Akkumulation und Beherrschung der Materie aufgegeben haben.

Der Skandal der Freude

In einer Informationswirtschaft weicht die Logik der Produktion und Akkumulation des Industrie- und Agrarzeit-
alters – wenn auch nur allmählich – einer auf Erfahrung
bestehenden Logik der Konsumtion. Diese revolutionäre
Erkenntnis ist aus der Sicht der traditionellen Werte so per-
vers, daß sie nur von einem Franzosen stammen kann. Und
so stellt George Bataille in seinem Buch *Die Aufhebung
der Ökonomie* fest: »*An erster Stelle* geht es jetzt nicht
mehr um die Entwicklung der Produktivkräfte, sondern
um die luxuriöse Verausgabung ihrer Produkte . . . Ich insi-

stiere auf der Tatsache, daß es, allgemein gesehen, kein Wachstum gibt, sondern nur eine luxuriöse Energieverschwendung in vielfältiger Form! Die Geschichte des Lebens auf der Erde ist vor allem die Wirkung eines wahnwitzigen Überschwangs: das beherrschende Ereignis ist die Entwicklung des Luxus.«[46] Und an anderer Stelle: »Ob es dem Autor beliebt oder nicht, der Geist der Literatur ergreift immer Partei für die Verschwendung, *für die Abwesenheit festumrissener Ziele.*«

Bataille sagt, daß der Geist der Literatur von einer überschwenglichen Freiheit lebt und nicht von der sorgfältigen Berechnung der Mittel und Ressourcen, die notwendig sind, um ein vorherbestimmtes Ziel zu erreichen. Wenn die Menschheit in ihrer Freiheit und nicht in ihrer Befriedigung des unmittelbar Notwendigen am menschlichsten ist, dann ist es exakt das *Unnötige* – das Luxuriöse – das für die Menschheit notwendig ist. Die Deckung der sogenannten »Grundbedürfnisse« ist notwendig, um das Tier in uns am Leben zu halten. Aber der Luxus ist notwendig, um das, was frei und kreativ ist, am Leben zu halten. Mit dem Übergang von einer physischen zu einer semiotischen Wirtschaft wird das wesentlich, was früher skandalös war – eine aufopferungsvolle Fülle und Verschwendung der Ressourcen.

Während diese Idee jenen Menschen verrückt erscheinen mag, die nach wie vor der Logik der materiellen Beschaffung und Kapitalanhäufung verhaftet sind, erfreut sie sich im Kontext einer Wirtschaft der Information und Erfahrung durchaus einer gewissen gesunden verstandesmäßigen Grundlage. Jean Baudrillard, der Jahrzehnte später als Bataille schrieb, stellte den Marxismus auf den Kopf, indem er zeigte, daß dessen Kategorien für eine symbolische Wirtschaft unzulänglich sind, weil sie aus der industriellen Ära der materiellen Produktion stammen. Baudrillard nahm die Bedeutung der semiotischen Wende klarer auf als Bataille, so daß es für ihn leichter war, die Wende von der

Produktion zur Konsumtion zu artikulieren: »Die erste
Stufe der Analyse bestand darin, die Konsumtion als eine
Erweiterung der Sphäre der Produktivkräfte zu konzep-
tualisieren. Aber jetzt müssen wir das Umgekehrte tun.
Wir müssen die ganze Sphäre der Produktion, Arbeit und
Produktivkräfte als zur Sphäre der ›Konsumtion‹ geneigt
konzeptualisieren.«[47]

Da die Information nicht informiert, solange sie nicht
erhalten wird, existiert sie nicht, solange sie nicht konsu-
miert wurde. Sie existiert nur in ihrer Aufnahme und
stirbt, wenn sie überflüssig wird. *Die Information ist in-
trinsisch aufopferungsvoll.* Was nach der alten Ordnung
der Produktion verrückt und unlogisch erschien, ist nach
der neuen Ordnung der semiotischen Konsumtion absolut
gesund und logisch. So wird zum Beispiel die »Verrücktheit« des Opfers, des Gebens von etwas für nichts, zum
Königsweg zum Sublimen und steht nicht mehr für den
altruistischen Akt der Selbstverleugnung. Während einige
Musiker versuchen, Tonbandaufzeichnungen bei ihren
Konzerten oder den Handel von Kassetten mit Raubko-
pien zu unterbinden, fördern andere, wie Grateful Dead
und Peter Gabriel, das, was zur freien Werbung wird.

Die sich verändernde Natur des »Eigentums«

Mit dem Übergang von der Industrie- zur Informationswirtschaft verändert sich die Natur des Eigentums und Besitzes – und damit die Akkumulation. Eigentum und Akkumulation haben nicht mehr sehr viel mit dem physischen
Besitz von Dingen und der Beherrschung der Materie zu
tun. Der Begriff des Eigentums, der nach der Aneignung
und dem Besitz von mehr und mehr der gleichen physischen Dinge modelliert wurde, wird von der Fähigkeit zur
scharfsichtigen Wahrnehmung und Wertschätzung abgelöst. Der Metabolismus des sublimen Verlangens hat mehr

mit der Belebung des Bewußtseins zu tun, dem Wecken von Geschmack, der Fähigkeit zu Differenzierungen, die menschliche Erfahrung wirklich artikulieren können, zur Vervollkommnung der Freude. Eigentum hat heute mehr mit der Hitze realer Erfahrungen als mit der kalten Lagerung von Sachen zu tun. So wie sich die Natur des Eigentums von physischen Gütern und Immobilien zu flüchtigen und kurzlebigen Gütern wie Worten und Bildern, Büchern und Filmen, Kunst und Reisen ... verlagert, beginnt die Idee des »Eigentums« an den Rändern auszufasern. Wenn ich einen Film genieße oder ein Spiel schätze oder im Extremfall Freude an einem Sonnenuntergang habe, ist dann die Frage des Eigentums für den Reichtum, den ich erfahre, relevant?

Flüchtige Erfahrungen können nicht angehäuft werden, wie Weizen in einem Silo gelagert wird. Man kann sie nicht besitzen, wie man vierzig Hektar oder vierhundert Stück Vieh oder ein Dutzend Kamele oder einen Topf aus Gold besaß. Das Eigentum kann nicht mehr so einfach nachgezählt und ausgerechnet werden, zum Beispiel wenn es eine Frage der sauberen Luft ist. Das Eigentum ist schwierig in Fällen, wo es um Zeilen aus einem Song oder einen Plot oder ein Stück Software geht. Bei flüchtigen Gütern und Dienstleistungen sind die Eigentumsansprüche schwieriger zu regeln als bei gestohlenen Wagen.

Diese sich verändernde Natur des Eigentums ist für die Praxis der »Ziellosigkeit« relevant. Denn es war die Natur des Eigentums und der Akkumulation in den materialistischen alten Tagen des Agrar- und Industriezeitalters, die zunächst einmal dafür sorgte, daß wir auf bestimmte Arten zielgerichteter Aktivitäten verfielen. Denken Sie nur an Äsops Fabel von den fleißigen Ameisen, die den ganzen Sommer über arbeiteten, derweil die verantwortungslosen Heuschrecken einfach die Tage vertrödelten. Da gab es jene Ameisen, die fein geordnet in Reih und Glied marschierten, rafften und schleppten, schufteten und sparten und um des Überlebens willen während des langen Winters riesige Vorräte anlegten. Und was machte die Heuschrecke? Sie genoß den Augenblick. Spielte. Sang. Tanzte. Wie verwerflich!

Nach dem Übergang vom Agrar- und Industriezeitalter zu einer Informations- und Erfahrungswirtschaft funktioniert das Spiel nach der zielgerichteten Disziplin der Ameisen längst nicht mehr immer. Personen, die die äußeren Grenzen der menschlichen Freude erforschen, lernen vielmehr, wie sie einen Teil ihrer Ekstase aufstauen und verkaufen können, so daß sie am Ende weitaus erfolgreicher sind als die Arbeitstiere, die sich abplacken und der Überzeugung sind, es sei ihre Pflicht, die Befriedigung auf immer hinauszuschieben. Howard Hughes gelang es am Ende zwar nicht, das Sublime zu erfassen, aber er hatte *Spaß* dabei, seine Filme zu machen. Sein eigenartiger Fahrplan zeigte, daß er sich bei seiner Arbeit weitaus mehr von Impulsen und Leidenschaften als von irgendeiner Pflicht und Routine leiten ließ. Er *genoß* es zu fliegen. Und er hatte mit Sicherheit seine Freude an schönen Frauen. Trotz seines Reichtums auf dem Papier war er gegen Ende seines Lebens auf sublime Weise unabhängig von physischen Dingen – »kein sentimentaler Ballast«. Er hatte nur, genau wie Japaner, selbst beim Spaßhaben Schwierigkeiten, die *Kontrolle* aufzugeben.

Dieses Training in zielgerichtetem Verhalten haben wir uns am Ende der Agrarära zu eigen gemacht, der Ära der großen Silos, der Ära der Industrialisierung der Landwirtschaft. Dieses Training in zielgerichtetem Verhalten, so logisch und rational es in den vergangenen Tagen auch gewesen sein mag, ist für die Natur des Eigentums und Besitzes im Informationszeitalter nicht mehr angemessen. Und es beschreibt auch kein Muster von Belohnungen, das wir in unserer sublimierten Wirtschaft sehen. Die geringen Sparleistungen in den Vereinigten Staaten lassen darauf schließen, daß die Bürgerinnen und Bürger irgendwie begriffen haben, daß die alte Mentalität des Hortens obsolet ist. Heutzutage werden die Heuschrecken belohnt: Die Kids, die den ganzen Tag herumsaßen und Gitarre spielten, enden als reiche Rockstars, während die armen Trottel, die ihre Hausaufgaben machten, am Ende als schlechtbezahlte Schlucker ihren verantwortungslosen Klassenkameraden auf MTV zusehen können. Die Kids, die per se nichts anderes tun wollten, als den ganzen Tag Basketball zu spielen, streichen am Ende vielleicht Millionen Dollar als Profispieler ein. Die Kids, die ihre Jugend gammelnd auf Surfbrettern vergeudeten, verfügen heute über phantastische Franchises für Strandkleidung, während der Liebling des Lehrers in der Englischklasse an irgendeinem rückständigen College in der tiefsten Provinz um eine feste Anstellung kämpft.

Solange die Angst bleibt, daß nicht genug im Silo ist, wird der Bereich der Notwendigkeit weiterhin an unseren Absichten zerren. Wir werden nicht frei sein von dem Ziel der Freiheit von Mangel oder Not. Und das heißt, daß wir unsere Ressourcen mobilisieren, um die Produktivität zu steigern, und alles daransetzen, die Materie beherrschen zu lernen. Die Angst vor Mangel und das Ziel der Freiheit von Not sind so primitiv und so tiefverwurzelt, daß sie uns dazu treiben können, ein geradezu absurdes Maß an Reichtum zu akkumulieren und Abwehrmechanismen zu errichten, um ebendiesen Reichtum vor den Ansprüchen anderer zu schützen. Die Wirtschaft des Sublimen bedingt aus meiner Sicht, daß die alte Besitzgier vielleicht der größte Feind des neuen Reichtums ist.

Mit dem Erfolg der industriellen Revolution wird das Ziel der Produktivitätssteigerung allerdings überflüssig, wenn nicht gar gefährlich. Um es nochmals zu sagen: Wir werden von *materiellen Dingen* überhäuft, erstickt vor lauter Fettleibigkeit. Das Problem, wie noch nie zuvor, ist nicht die Produktion, sondern die Konsumtion. *Und weder Narziß noch seine magersüchtigen Schwestern werden essen!*

Mit einem Leben ohne »Ziel« ermutigen wir *nicht* zur Konsumtion, weil wir ethisch abgestumpft, ökologisch ignorant oder moralisch gleichgültig gegenüber den Ergebnissen unseres Handelns wären, sondern weil wir der Überzeugung sind, daß die Frage, »wie das Leben funktioniert«, weniger mit der *Kontrolle der Ergebnisse* als mit einer gewissen verschwenderischen Kreativität zu tun hat, kombiniert mit bestimmten Auswahlprinzipien durch Konsumtion. Wir werden dann aufgehört haben, die Welt mit den Augen eines mechanistischen Ingenieurs zu sehen – was letztlich der Punkt war, an dem Howard Hughes an seine Grenzen stieß –, und wir werden uns ein *evolutionäres, künstlerisches, kreatives Paradigma* zu eigen gemacht haben.

Das evolutionäre Paradigma

Das evolutionäre Veränderungs- und Entwicklungsmodell verlangt ein neues Verständnis, was die Rolle des Zufälligen, Ziellosen und offensichtlich Überflüssigen angeht. Das evolutionäre Paradigma ermöglicht Kreativität, und zwar durch eine verschwenderische Vielfalt und einen Selektionsprozeß.

Das mechanistische Paradigma versucht, nach einem Plan, der zu einem vorherbestimmten Ziel führt, schöpferisch zu sein: Fünf Schritte zur garantierten Kreativität, nicht sechs oder sieben. Nichts verschwenden, nichts wünschen. Sei sparsam mit deinen Ressourcen, wobei der höchste Output bei geringstem Input der Maßstab für Produktivität ist.

Aber die Kreativität funktioniert so nicht. Sehen Sie sich nur die Verwaltung der großen Wissenschaft – die geplante Kreativität – und dann ihre entsprechende Leistungsbilanz an Innovationen an. Auf einer Dollar-pro-Patent-Grundlage schneidet die große Wissenschaft mitnichten so gut ab wie die weniger bürokratisierte Leidenschaft der Garagenerfinder.

Ich weiß noch, wie befremdlich ich die wissenschaftliche Umgebung am Stanford Research Institute fand, wo ich sieben Jahre lang arbeitete. Trotz der Anwesenheit einiger erstaunlich kreativer Personen war eine Fülle von Arbeit kontraproduktiv. Bei der alljährlichen Aufstellung der Budgets wurde ich gefragt, was ich im darauffolgenden Jahr plante und was das kosten würde. Es erschien mir immer so, als würde man mich fragen, was ich zu entdecken plante, so daß meine erste Antwort war: »Wenn ich das wüßte, müßte ich es nicht entdecken.« Aber die Bürokraten fanden das überhaupt nicht komisch. Es war, als wären wirkliche Entdeckungen nur in einem vom Budget vorgegebenen Monat oder so möglich.

Das evolutionäre Paradigma macht den Zufall zum Freund und nicht zum Feind der Rationalität. Die Zufallsauswahl ist der Motor der Vielfalt, und die Vielfalt erweist sich als die Mutter der Erfindung (nicht die Notwendigkeit, wie die Mechaniker glaubten). Die Evolution ist so kreativ, weil sie für den Zufall, der in ihre Logik eingebaut ist, eine konstruktive Rolle hat. So bildet sich der Evolutionsprozeß heraus: von der mechanischen Reproduktion von mehr vom Gleichen durch Mitose zur geschlechtlichen Reproduktion durch Meiose: von einem, das zwei sehr gleiche hervorbringt, zu zweien, die eins hervorbringen, das anders als jedes von ihnen ist. Sexualität ist der kleine Weg von Mutter Natur sicherzustellen, daß niemand sich dazu versteigt, Gottvaters narzißtisches Spiel der Reproduktion des eigenen Ebenbildes zu spielen. Sexualität ist der Weg von Mutter Natur, die Gene so durcheinanderzuwerfen, daß jeder Sproß eine Zufallsmischung verschiedener Gene und nicht etwa eine identische Reproduktion darstellt.

Die Variation erweist sich als der sicherste Weg, einen Gewinner hervorzubringen, sowohl im Garten von Mutter

Natur als auch in der zweiten Natur, der des Marktes. Neue Cola, klassische Cola, Diät-Cola, Cherry Cola, koffeinfreie Cola, koffeinfreie Diät-Cola ...

Mechaniker produzieren mit einem Ziel. Evolutionisten produzieren und produzieren einfach wie verrückt eine Variation nach der anderen. Mechaniker glauben, die Ergebnisse ihrer Arbeit kontrollieren zu können. Evolutionisten wissen, daß die differenzierte Selektion durch die Umwelt und nicht etwa die Ziele und Absichten der Schöpfer maßgebend für den relativen Erfolg ihrer vielfältigen Ergebnisse sind. Mechaniker versuchen, der unperfekten Materie eine perfekte Form zu geben, aber der Versuch, die Materie durch die Formgebung zu kontrollieren – die ganze Werkzeugbau- und Bohrmaschinen-Metaphysik – ist inzwischen überholt. Die Evolution lebt ohne ein »Ziel« und blüht und gedeiht.

*

Unseren Weg zum Guten als unser »Ziel« können wir ebensowenig berechnen, wie ich meinen Weg zu gedeihlichen Rendezvous in Bennington berechnen konnte. Das mag wie eine schlechte Nachricht klingen, aber Dante sagte von seiner Reise durch die Hölle: »Des Guten wegen«. Und wo war das Gute? In der heißen Glut, die mich durchströmte, während ich nach meinem Rausschmiß aus Exeter durch die dunkle Nacht fuhr. Und wie ist das zu verstehen?

Wenn das Gute nicht irgendein »Ziel« ist, das auf uns wartet, nachdem wir die ganzen Beschwernisse einer langen linearen Reise hinter uns gebracht haben, sondern vielmehr ein schwerfaßbares Merkmal des Weges selbst ist, dann können wir ebensowenig vom Guten ausgeschlossen werden, wie wir es ein für allemal erreichen können. Die Unbestimmbarkeit des Guten ergibt sich aus seiner engen Verbindung mit dem Bösen. Wir finden das Gute nicht, indem wir alles Böse meiden, sondern indem wir unseren Weg *durch* das finden, was das Böse *werden könnte*, wenn wir es als solches nicht erkennen – so wie ich zum Beispiel die Gefahren der deutschen Disziplin erkannte, selbst als ich mich ihr unterwarf. Oder wie der widerstrebende Narzißt seinen Weg zur Liebe nicht findet, indem er sich in den ausweglosen Canyon des tertiären Narzißmus zurückzieht, sondern indem er in die überschwenglichen Freuden des Herumalberns mit dem Selbst im Null-Grad-Narzißmus eintaucht.

Wir finden das Gute nicht, indem wir es direkt als »Ziel« anvisieren. Wie ein undeutlich erkennbarer Stern, der verschwindet, wenn man direkt nach ihm sieht, so verschwindet das Gute, wenn ich versuche, es klar vom Bösen zu trennen. Genau wie Orpheus Eurydike verlieren würde, wenn er sich nach ihr umschaute und sie direkt ansähe, genau wie Narziß sein Bild in der Quelle verlor, wenn seine Lippen die kühle Oberfläche berührten, so verliere ich das Gute, wenn ich es mir als ein »Ziel« setze, auf das ich direkt zusteuere.

Die Rolle des Zufalls bei der evolutionären Kreativität und die Rolle des Beliebigen im Rahmen dessen, wie Worte funktionieren, bestätigen diese unberechenbare Unbestimmtheit des Guten. Im Bereich des Sublimen kann knapp »daneben« schöner als der direkte Treffer sein. Bei lyrischen Melodien sind Dissonanzen eine zusätzliche Freude, die verlorenginge, wenn die Noten nur vorhersehbare Harmonien wiederholten. Genau wie der Höhepunkt der sexuellen Erregung genau vor dem Orgasmus sind diese sublimen Dissonanzen wesentlich für die Schönheit des Ganzen bei den letztlich erreichten Kadenzen. Ihre Überschreitung dessen, was ansonsten nur banale Harmonien wären, schafft den lyrischen Wert.

Das Sublime ist kompliziert und das so viel Bessere. Der Semiotische Spieler ist ein Quälgeist, der mit den Würfeln spielt. Ich werde nie eine unzweifelhafte sprachliche Darstellung des Guten erreichen. So funktionieren Worte einfach nicht. Das beste, was ich tun kann und alles, was ich bisher gemacht habe, ist nichts anderes, als um jenes schwer faßbare Zentrum des Lebens ohne »Ziel« zu kreisen. »Man *kann den Kern nicht erfassen*«, schrieb Norman Mailer von Henry Miller.[48] Und genau das könnte man fast genauso von der »Ziellosigkeit« sagen. Es gibt kein »geologisches Fundament in der Psyche, das man Identität nennen kann«, wenn das Leben in der realen Zeit des Werdens gelebt wird; und es gibt auch kein geologisches Fundament für das Gute.

Manchen kommt dieser Zustand der Ungewißheit wie Nihilismus vor, und in einem Sinne haben sie recht. Die alten Absolutheiten sind verschwunden, und die Wissenschaft hat sie nicht durch solide Grundlagen in der materiellen Realität ersetzt. Aber die positiven Möglichkeiten der Sublimierung ermöglichen neue Bedeutungsstrukturen. Die Sonatenform, der Nationalstaat, Kunstwerke und die Erfindung der Körperschaft: sie alle sind Zeugnisse der menschlichen Kreativität. Lieder sind möglich, aber *wir* müssen sie schreiben. Der Wind flüstert sie uns nicht zu. In diesem Sinne halte ich unseren Zustand für den eines *lyrischen Nihilismus*.

Statt aus einem von Gott oder der Natur vorherbestimmten »Ziel« beziehe ich meine Freude aus manchen scheinbar zufällig zusammenfallenden Ereignissen oder Tatsachen, die den Glanz sublimer Bedeutung tragen. Mir gefällt die Tatsache, daß Howard Hughes' Leben auf der Grundlage von Hughes' *Werkzeug*fabrik, der Hughes *Tool* Company, aufgebaut wurde. Was für eine herrliche Resonanz der Logik der instrumentellen Rationalität! Ich schätze die Tatsache, daß ich hinter dem Steuer eines *Mercury* mündig wurde. Es hätte auch ein Ford sein können, aber nein, dieser Wagen trug den Namen eines Gottes, der als Schwindler, als quecksilbriger Bote bekannt war, der seine Botschaften eben nur ein wenig verdrehte. Ich spiele

gerne mit diesen archetypischen Resonanzen. Natürlich
beweisen sie nichts.

＊

Da ich zu diesen letzten Seiten komme, muß ich an die
Gespräche denken, die sich ergaben, während ich an diesem Buch schrieb, und an die Freunde, die mir ein offen-
sichtliches Paradox vor Augen hielten: Wie konnte es mein
Ziel sein, ein Buch über die »Ziellosigkeit« zu vollenden?
Wenn ich von dem, was ich schrieb, auch nur ein Wort
glaubte, wie konnte ich mir dann das Ziel setzen und erreichen, ein Buch zu vollenden? Meine Antwort: Es ist möglich, die Gegenwart als die andauernde Erreichung eines
Zieles und nicht als instrumentelles Mittel zu einem Zweck
zu erfahren. Dieses Buch zu schreiben war eine Frage, *mit
dem Prozeß des Schreibens zu leben*, ein beständiges Kreisen, das letztlich zu einem Ende kommen muß.

Dieses Buch wurde in weiten Teilen in einer kleinen
Wohnung im Londoner Viertel Mayfair geschrieben. Der
Ort gewann für mich vor dem Hintergrund von Erfahrungen, die lange zurücklagen, eine besondere Bedeutung.
Kurz bevor ich mich schließlich auf Schrödingers Wellengleichung stürzte, war ich den Werken Somerset Maughams
begegnet. Ich liebte sein Buch *Auf Messers Schneide* und
das Porträt, das er von einem jungen Mann zeichnete, der
die Bequemlichkeiten der Gesellschaft hinter sich läßt, um
als nomadischer Reisender an fernen Orten und in esote-
rischen Traditionen Weisheit und Erfahrung zu suchen.
Dann las ich Maughams Autobiographie, *The Summing
Up*. Es gefiel und beeindruckte mich zwar irgendwie, wie
er sein Leben als Schriftsteller schilderte, es wäre aber zuviel gesagt, ich hätte mir damals geschworen: *Es ist mein
Ziel, später Schriftsteller zu werden*. Und trotzdem, wenn
ich allmorgendlich mit einer Regelmäßigkeit, die schon fast
mehr mit einer Sucht als mit Disziplin zu tun hatte, in

mein Schreibstudio ging, konnte ich den Anflug von Freude nicht unterdrücken, die einfach immer wieder aufkam, wenn ich an der Gedenktafel vorbeikam, die daran erinnnerte, daß Somerset Maugham in jenem Haus gelebt und einige seiner besten Bücher geschrieben hatte. Diese Tafel erinnerte mich jeweils daran, daß ich nicht mit irgendeiner mühseligen Aufgabe zur Realisierung irgendeines erstrebenswerten Ziels in der Zukunft beschäftigt war – der Vollendung dieses Buches, welche Belohnungen damit auch immer verbunden sein mochten. Das Ziel, das mir vor so vielen Jahren, wenn auch nur insgeheim vorschwebte, war vielmehr der Prozeß des Vollendens, der Akt des Schreibens, das Leben als Schriftsteller.

Was mich an Maughams Schilderung reizte, waren nicht die Honorare oder die Rezensionen oder die Belohnungen, die einem erfolgreichen Schriftsteller zuteil werden, sondern das Leben, der Prozeß, das tagtägliche Bemühen, mit dem Medium von Worten Erfahrungen sublim wiederzugeben. Und siehe da, ich machte Tag für Tag nichts anderes als genau das, wenn auch mit Abstand weniger begnadet und mit weitaus weniger Anerkennung, und nur einen Block von dem Ort entfernt, an dem Maugham seinem Metier nachgegangen war. Beim Schreiben dieses Buches ging es also nicht so sehr um die Verfolgung eines Ziels, als vielmehr um die Praxis eines bereits erreichten Ziels: Schreiben – eine Beschäftigung, die ich genieße.

Ja, und bei all dem geht es natürlich auch um das Moment der Arbeit. Natürlich gibt es Rückschläge und Frustrationen, die Qual ob meiner Unfähigkeit, das, was ich sagen wollte, in Worten auszudrücken, und nicht zuletzt auch all die Dinge, die ich verpasse, während ich schreibe, wie zum Beispiel die Segeltour in der San Francisco Bay, die meine Freunde jetzt gerade genießen. Aber während ich *diese* Worte schreibe, ist mir bewußt, wie sehr es bei der Vollendung dieses Buches eben nicht um ein Ziel ging, das in der Ferne lockte. Das Schreiben war ein Ziel, das zu erreichen ich mit jeder Seite genoß, selbst bei den vielen, die verdientermaßen im Papierkorb landeten.

Die »Ziellosigkeit« schließt keineswegs Leistungen aus, die von anderen als Ziele wahrgenommen werden. Die *Praxis* der »Ziellosigkeit« kann greifbare Ergebnisse haben, ohne »das Prinzip unseres Glaubens« zu kompromittieren. Die Gegenwart ist ihre eigene Belohnung ... und kann *darüber hinaus* noch zu weiteren Belohnungen führen, die nicht das *Ziel* der gegenwärtigen Praxis waren.

In Hollywood gibt es eine schöne Bezeichnung für diese Belohnungen, die in der Zukunft aus aktuellen Verträgen erwachsen können: *residuals*, was nichts anderes als Reste und im Klartext Honorare sind. Mir gefällt der Gedanke, daß die »Reste« sich schon um die Zukunft kümmern werden, wenn man sich der überschwenglichen Vielfalt der Freuden in der Gegenwart hingibt. In Hollywood wird auch gesagt, daß man nur so gut wie sein letzter Film ist. Das heißt, daß man weiß, daß die Wirtschaft des Sublimen die Anhäufung von festem Kapital verbietet.

*

Und was ist aus Spike und Lila geworden? Haben sie sich kennengelernt, ineinander verliebt und werden nun glücklich bis ans Ende ihrer Tage leben? Nicht in diesem Leben! Spike und Cindy haben geheiratet. Er hat sie zwar nie so sehr geliebt, aber er dreht fast durch vor Eifersucht, wenn andere ihre Schönheit bewundern. Lilas Liebe zu Ned ist weniger mit Besitzansprüchen verbunden. Zum letzten Valentinstag schickte sie ihm eine Karte, auf der – ohne Ironie – stand: »Meine Liebe ist wie der Sonnenuntergang. Ich sonne mich in seiner Gegenwart. Ich sitze still und in Ehrfurcht da, aber ich sage nicht, daß er *mein* ist.«

Der Besitz des Sublimen hat nichts mit Herrschaft zu tun. Das Sublime besitzen heißt nicht, es für immer zu haben und zu behalten, bis daß der Tod euch scheidet. Der

Besitz des Sublimen ist Dienst und nicht Herrschaft: Er ist weniger wie die Liebe eines besitzergreifenden Ehemannes zu seiner erbeuteten Ehefrau und mehr wie die Liebe einer Mutter zu ihren Kindern: eine fürsorgliche Liebe, verwaltend statt herrschend. Diese nichtbesitzergreifende Liebe hat ihre Freude am geringsten Zeichen des Geliebten, ob am Lachen des Kindes, das als Geschenk entgegengenommen wird, auch wenn es nicht als solches gegeben wird, oder an den letzten Strahlen eines Sonnenuntergangs, die den Horizont magentarot fluten, nachdem die Quelle längst untergegangen ist.

Selbst der Tod kann sublim sein. Wir wären um so vieles weniger traurig, wenn wir lernten, wie wir die Dinge, die wir lieben, loslassen können. Dann könnten sie zum erstenmal wirklich unsere werden, in diesem nichtbesitzergreifenden Sinne, den das Sublime von uns verlangt. Wenn Sie ins Kino gehen oder einen Roman lesen, investieren Sie nur einen denkbar winzigen Bruchteil dessen, was es kostete, dieses Kunstwerk zu schaffen.

Dennoch ist der Gewinn, den Sie daraus beziehen immens, auch wenn Sie diese Kunstwerke nicht haben und halten können. Diese nichtbesitzergreifende Bewunderung kombiniert wie die Liebe von Eltern zu ihren Kindern Dienst, Fürsorge, Verwalten und schließlich das Loslassen.

Ja, die Erde ist unser, unsere einzige Heimstatt. Aber sie gehört *mir* nicht im Sinne eines persönlichen Besitzes. Ja, meine sterbende Freundin ist im intimsten und privatesten Sinne *meine* Freundin. Und ich werde sie vermissen, wenn sie nicht mehr da ist. Aber ich liebe sie, solange sie lebt, nicht mehr, wenn ich mich weigere, sie mit anderen zu teilen. Wir wären um so vieles weniger traurig, wenn wir dieses Loslassen lernten.

Lassen Sie das Ziel unnützer Reichtümer los, die auf Kosten anderer gehen. Geben Sie das Ziel des Reichtums auf. Sie haben wahrscheinlich so viel Geld, wie Sie brauchen.

Wesentlich mehr ist im Zweifel mit mehr und nicht mit weniger Problemen verbunden.

Lassen Sie das Ziel völliger Selbständigkeit los. Sie werden es nie erreichen, und Sie werden Ihre Beziehungen zerstören, während Sie es versuchen.

Geben Sie das Ziel der Unabhängigkeit auf. Die Welt funktioniert so nicht. Das Sublime ist beziehungsabhängig und interdependent; und unabhängig davon *möchten* Ihre Freunde Ihnen helfen.

Geben Sie das Ziel der wahren Liebe auf. Die Liebe ist, genaugenommen, wenn sie romantisch ist, nie wahr. Und wenn sie nicht romantisch ist, ist sie nicht die wahre Liebe.

Lassen Sie das Ziel des Glücks los. Dieser süße Vogel läßt sich nur nieder, wenn man ihn am wenigsten erwartet.

Lassen Sie das Ziel des Ruhms los. Sein Hohlspiegel verzerrt bei Vergrößerung.

Behandeln Sie diese Ziele und andere wie eine starke Medizin, die nützlich nach Verordnung, aber gefährlich bei Mißbrauch ist. Und sie ist außerhalb der Reichweite von Kindern aufzubewahren.

Danksagung

Dieses Buch verdankt seine Geburt zwei Eltern und einer Hebamme. Angestoßen wurde es durch Harriet Rubin, der Chefin von Doubleday Currency. Sie kam auf mich durch Napier Collyns, dem weitaus mehr Bücher zu verdanken haben, daß sie das Licht der Welt erblickten, als den meisten Menschen jemals bewußt sein wird. Die Hebamme – sein Ausdruck, nicht meiner – war Eric Best, ein Autor, dessen Talent über seine eigene Kunst hinausgeht und zum Geschenk für andere wird, die er anleitet. Mein Dank gilt auch Janet Coleman, die das Buch durch die letzten Phasen der Herausgabe brachte.

Einige andere Freunde hatten unter meinen früheren Entwürfen zu leiden und boten mir die Freundlichkeit des Schweigens oder ein paar wohlgewählte Worte, um mich nicht allzusehr in Verlegenheit zu bringen. Besonders danken möchte ich John McIntire, Michael Murphy, Lawrence Wilkinson, Mary Ellen Klee und John O'Neil. Und andere haben mir in kritischen Zeiten ihre Unterstützung und Ermutigung angeboten: Freundliche Worte, einfachen Spaß, sublime Liebe oder eine zärtliche Berührung. Ich denke dabei an Doris und Karin, Wendy und Ginger, Jessica und Tricia.

Es gab einige Orte, die in verschiedenen Phasen der Entstehung entscheidend waren: jenseits von Alain Mertens Wohnung in London das Blakes Hotel, in dem diese Worte geschrieben wurden, und die Bibliothek des British Museum; der Beckman Place in New York; der Lake Sunapee in New Hampshire; das Esalen-Institut am Big-Sur-Küstenstrich von Kalifonien; die Bar im Kaimana Beach Hotel in Honolulu; Bon Island vor der Südküste Thailands. Wer sagt, daß Literatur nur in Bibliotheken entstehen kann?

213

Und zuletzt auch Dank denen, die mir am nächsten sind und mich für das Alleinsein freigegeben haben, das das Schreiben verlangt: Peter Schwartz und Cathleen sowie meine Söhne David und Jonathan.

Quellenverzeichnis

Kapitel 1

1. Dante Alighieri, *Die göttliche Komödie,* »Hölle«, I. Gesang, München 1974, S. 7.
2. Tom Wolfe, *Das silikongespritzte Mädchen,* Reinbek 1976, S. 17.
3. Friedrich Nietzsche, *Zarathustra,* Stuttgart 1992, S. 225.
4. Jean-Paul Sartre, *Das Sein und das Nichts,* Reinbek 1987, S. 599, 770.
5. Friedrich Nietzsche, *Zur Genealogie der Moral,* in: Sämtliche Werke, Bd. 5, München 1980, S. 279.
6. Francis Fukuyama, »The End of History?«, in: *The National Interest,* Sommer 1989. Nach der Veröffentlichung von Fukuyamas berühmtem Essay, aus dem die Zitate entnommen sind, veröffentlichte er auf der Grundlage dieses Artikels ein sehr geistreiches Buch, *Das Ende der Geschichte* (München 1992). Da Fukuyama sich im wesentlichen auf Hegel und Nietzsche stützt, geht es uns eindeutig um die gleiche Sache. Wäre dies ein wissenschaftliches Buch (was es nicht ist) und wären nicht literweise Tinte und meterweise Papier als Reaktion auf Fukuyama verschrieben worden (was der Fall war), wäre eine ausführliche Diskussion von Fukuyamas Position, wo ich sie respektiere und wo ich mich von ihr unterscheide, unumgänglich. Zu meinem eigenen Ausflug in den dunklen Wald der Hegelschen Lehre siehe meinen Aufsatz »Reflections on the Absolute«, *The Review of Metaphysics,* 28, Nr. 3, März 1975, S. 520—546. Hinsichtlich einer Abhandlung über »das Ende der Geschichte«, die vor Fukuyama veröffentlicht wurde und sowohl Hegel als auch unseren zeitgenössischen Bedingungen näherkommt, siehe Mark Taylor, *Erring: A Postmodern A/theology,* Chicago 1984, insbesondere Kap. 3, »End of History«, S. 52 ff.
7. Francis Fukuyama, »The End of History«, *The National Interest,* Sommer 1989.

Kapitel 2

8. Friedrich Nietzsche, *Zur Genealogie der Moral,* Werke in 3 Bänden, München 1977, 2. Bd., S. 839.
9. André Breton – *Die Manifeste des Surrealismus* (1924), Reinbek 1968, S. 43.

Kapitel 3

10. Friedrich Nietzsche, *Der Wille zur Macht,* Stuttgart 1959, S. 22.
11. Die nationale Erhebung über die Werte von Erstsemestern am College wird unter der Leitung von Professor Alexander Astin an der UCLA durchgeführt.
12. Zu Heidegger und den Nazis siehe Victor Farias, *Heidegger und der Nationalsozialismus,* Frankfurt 1989. Für eine fundiertere Behandlung des Themas siehe Avital Ronell, *The Telephone Book,* Lincoln und London 1989.

13. Friedrich Nietzsche, *Der Wille zur Macht,* Stuttgart 1959, S. 22.
14. Jean-François Lyotard, *Das postmoderne Wissen – Ein Bericht,* Wien 1986, S. 14 ff. Die Literatur über den Postmodernismus wächst mit jedem Tag. Angefangen bei einem frühen Tröpfeln von Imitationen, die in einem sorgfältig erarbeiteten und fundierten Buch von Margaret Rose unter die Lupe genommen werden *(The Post-Modern and the Post-Industrial,* Cambridge 1991), bis zu einem Strom von Büchern über Kunst und Architektur aus der Feder von Charles Jencks. Dann wurde mit Büchern über Literaturkritik und *-theorie* aufgeholt, zum Beispiel von Ihab Hassan *(The Postmodern Turn,* Athens, Ohio, 1987) und über Postmodernismus und Politik, zum Beispiel die Anthologie *Postmodernism and Politics,* Hg. Jonathan Arac (Minneapolis 1986), David Harvey, *The Condition of Postmodernity* (Oxford 1989) und Frederic Jameson, *Postmodernism, or, The Cultural Logic of Late Capitalism* (Durham 1991). Ich habe mein Bestes getan, mit einem langen Artikel in diesem Strom Wasser zu treten, »This Postmodern Business«, *Marketing and Research Today,* Februar 1990, S. 4–22.

Kapitel 4

15. Lou Andreas-Salomé, *In der Schule bei Freud. Tagebuch eines Jahres (1912/1913),* Frankfurt, Berlin 1983, S. 184 f.
16. Friedrich Nietzsche, *Ecce Homo,* München 1988, S. 264, 298.
17. Norman Mailer, *Genius and Lust: A Journey Through the Major Writings of Henry Miller,* New York 1976.
18. Ebenda.
19. Ebenda.
20. Ebenda.
21. Ebenda.
22. Randall Reid, »Detritus«, *New American Review,* Nr. 14, S. 17 f.
23. Roland Barthes, *Über mich selbst,* München 1978, S. 101.
24. Ebenda, S. 103.
25. Ebenda, S. 108, 156.
26. Georg Wilhelm Friedrich Hegel, *Phänomenologie des Geistes,* Frankfurt 1980, S. 145.

Kapitel 5

27. Thomas Weiskel, *The Romantic Sublime: Studies in the Structure and Psychology of Transcendence,* Baltimore und London 1976, S. 50.
28. James Phelan, *Howard Hughes: The Hidden Years,* o.O., 1977.
29. John Keats, *Howard Hughes,* München 1967, S. 86, 93, 174, 177.
30. Ebenda, S. 175.
31. Ebenda, S. 231.

Kapitel 6

32. Martin Amis, *1999,* Reinbek 1995, S. 261.
33. Sigmund Freud, ohne Quellenangabe
34. Sigmund Freud, *Das Unbehagen in der Kultur,* Frankfurt 1972, S. 105.

35. Ebenda, S. 96.
36. Ebenda.
37. Friedrich Nietzsche, *Der Wille zur Macht*, Stuttgart 1996, S. 402.

Kapitel 7

38. Vladimir Nabokov, ohne weitere Angaben.
39. Karl Marx, *Das Kapital*, Erster Band, in: Werke, Bd. 23, Berlin 1972, S. 491.
40. Friedrich Nietzsche, *Götzendämmerung*, in: Werke in drei Bänden, München 1955, 2. Bd., S. 944.

Kapitel 8

41. Römer 7, 19, *Die Bibel*, Einheitsübersetzung, Freiburg 1980.
42. Ferdinand de Saussure, *Grundfragen der allgemeinen Sprachwissenschaft*, Berlin 1967, S. 79.
43. William Blake, Brief an Butts, 22. November 1802, zitiert in: Norman O. Brown, *Love's Body. Wider die Trennung von Geist und Körper, Wort und Tat, Rede und Schweigen*, München 1977, S. 170:

> *Nun sehe ich eine vielfache Vision,*
> *und eine vierfache Vision ist mir gegeben;*
> *Vierfach ist es in meinem höchsten Entzücken*
> *Und dreifach in der sanften Beulah Nacht*
> *Und zweifach immer. Möge Gott uns bewahren*
> *Vor nur einer Vision und Newtons Schlaf!*

Kapitel 9

44. Mary Catherine Bateson, *Composing a Life*, New York 1990, S. 4. Dieses schöne Buch der Tochter wurde eindeutig vom Vater beeinflußt, mit dem sie eng bei dem Buch *Wo Engel zögern. Unterwegs zu einer Epistemologie des Heiligen* (Frankfurt 1993) zusammenarbeitete. Ein Essay von Gregory Bateson, das mich zu diesem Buch brachte, ist »Bewußte Zwecksetzung versus Natur«, in: *Ökologie des Geistes. Anthropologische, psychologische, biologische und epistemologische Perspektiven*, Frankfurt 1983, S. 549–565.
45. Friedrich Nietzsche, *Also sprach Zarathustra*, Stuttgart 1992, Zarathustras Vorrede, Erster Teil, 3, S. 7, Zweiter Teil, S. 76.
46. George Bataille, »Der verfemte Teil« in: *Die Aufhebung der Ökonomie*, München 1985, 2. erweiterte Auflage, S. 63, 59.
47. Jean Baudrillard, *Revenge from the Crystal*, London 1990, S. 105.
48. Norman Mailer, *Genius and Lust: A Journey Through the Major Writings of Henry Miller*, New York 1976.

Xandria Williams
Die vier Temperamente
Lernen Sie sich und Ihre Beziehungen durch
die klassische Typenlehre besser verstehen.
320 Seiten. Geb. Aus dem Englischen
von Anni Pott.

Mit den in diesem Buch präsentierten höchst
aufschlußreichen Informationen über die vier
klassischen Temperamente werden Sie Ihre Stärken
und Schwächen entdecken. Und darüber hinaus
werden Sie auch verblüffende Entdeckungen über
das Wesen Ihrer Familienangehörigen, Freunde,
Liebhaber, Kollegen – und -innen machen.
Wenn Sie verstehen, nach welchen Mustern Sie und
andere funktionieren, wird das Leben viel einfacher.
Aus diesem Wunsch heraus wenden sich viele der
Astrologie zu, doch es gibt einen anderen Weg.
Bis ins griechische Altertum zurück reicht die
Überzeugung, die nach wie vor Grundlage unserer
modernen Psychologie ist, wonach es vier klassische
Temperamente gibt. Wenn Sie Ihres kennen, wissen
Sie auch um seinen Einfluß auf Ihr Leben.
Sind Sie
- der starke, optimistische Choleriker?
- der kreative, phantasievolle Sanguiniker?
- der vorsichtige, verläßliche Phlegmatiker?
- der fürsorgliche, einfühlsame Melancholiker?
Finden Sie es mit Hilfe dieses Buches heraus und
damit zu Ihrem wahren Selbst.

KABEL

PIPER

Paul Watzlawick
Anleitung zum Unglücklichsein

132 Seiten. Halbleinen

»Ich habe das Buch in wenigen Stunden gelesen und gleich an die nächsten Freunde weitergeleitet. Schon der Grundgedanke ist faszinierend. Nicht – wie so viele Autoren, die in den letzten Jahren den Markt mit Glücksanleitungen überschwemmt haben – wohlfeile Gebrauchsanweisungen zu liefern, sondern uns den Spiegel vorzuhalten und zu zeigen, was wir alltäglich alles selbst gegen unser mögliches Glück tun.«
Walter Kindermann

»Eine amüsante Lektüre für Leute wie mich, die dazu neigen, sich das Leben schwer zu machen – ohne zu wissen, wie sie das eigentlich anstellen. Ein Lesevergnügen mit paradoxem Effekt. Das Nichtbefolgen der ›Anleitung zum Unglücklichsein‹ ist die Voraussetzung dafür, glücklich sein zu können.«
Brigitte

»Watzlawick bannt den Leser in eine ständige Spannung zwischen Amüsiertheit und Betroffensein.«
Bild der Wissenschaft

PIPER

Jürgen Roth
Absturz

Das Ende unseres Wohlstands. 280 Seiten. Geb.

Deutschland ist ein reiches Land – sagt jedenfalls die Statistik der Bundesregierung. Noch nie war das Bruttosozialprodukt so hoch, waren die Privatvermögen in Deutschland größer als jetzt. Aber dieses Bild täuscht: Immer mehr Menschen in Deutschland sind vom Wohlstand ausgeschlossen, gehören nicht mehr zum reichen Deutschland. Längst sind es nicht mehr nur die traditionellen »Armen«. Die Krise greift nach der bürgerlichen Mittelschicht, nach Facharbeitern, Angestellten, Akademikern. Wer jetzt arbeitslos wird, wird es lange bleiben – und arm werden. Immer mehr Deutschen, die sich sicher wähnten, droht der Absturz. Jürgen Roth beschreibt diese Entwicklung zu einer Zwei-Drittel-Gesellschaft, an deren Anfang wir stehen. Aber er begnügt sich nicht damit, nur die schlimmen Symptome nachzuzeichnen und zu beschreiben, wie Menschen aus ihrer scheinbar gesicherten Existenz gerissen werden. Vielmehr zeigt er auch auf, welche Folgen für die Gesellschaft insgesamt entstehen.